MATERIAL  E/LE

¡HAGAN JUEGO!

Actividades y recursos lúdicos para la enseñanza del español

ISABEL IGLESIAS CASAL
MARÍA PRIETO GRANDE

A Ignacio y Antonio, por las horas que este libro me robó.
Isabel Iglesias Casal
A mis padres, a Higinio y a Carlos, con los que aprendí a jugar.
María Prieto Grande

AGRADECIMIENTOS:

Queremos hacer constar el testimonio de nuestro agradecimiento al profesor D. Francisco García González, Catedrático de Dialectología de la Universidad de Oviedo y director de los *Cursos de lengua y cultura españolas para extranjeros*, por habernos ofrecido –¡hace ya tantos años!– la oportunidad de entrar en este fascinante mundo de la enseñanza de E/LE. Sin su apoyo y confianza, renovados curso a curso, no habríamos podido desarrollar nuestra labor y este libro, fruto de esa experiencia, no habría sido posible.

Colección dirigida por:

- **Pedro Benítez Pérez**
  Universidad de Alcalá de Henares (Madrid)

- **Aurora Centellas Rodrigo**
  Universidad Complutense de Madrid

Primera edición: 1998
Segunda edición: 2000

Editorial Edinumen
Piamonte, 7
28004 - Madrid (España)
Tfs.: 91 308 22 55 - 91 308 51 42
Fax: 91 319 93 09
e-mail: edinumen@mail.ddnet.es
I.S.B.N.: 84-89756-52-X
Deposito legal: M-39656-2000
Maquetación: Juanjo López
Diseño portada: Antonio Arias
Imprime: Gráficas Glodami. Coslada (Madrid).

INTRODUCCIÓN

"El hombre es plenamente hombre únicamente cuando juega"
Schiller

Docere et delectare, la máxima horaciana que tantos trabajos ha inspirado puede también servir para ilustrar nuestro propósito: enseñar con amenidad buscando el enriquecimiento creativo del proceso de aprendizaje. Este libro pretende sugerir y provocar; es una invitación al juego y ello significa que ha de eliminar barreras, mover, motivar e interesar a nuestros alumnos para que sean capaces de establecer una comunicación directa y espontánea desactivando miedos inhibidores. El juego, así, convierte al estudiante en un elemento activo, responsable de su aprendizaje y deja al enseñante la tarea de orientar, coordinar y promover esa creatividad.

Los procedimientos metodológicos que han inspirado este libro intentan aunar las directrices del enfoque comunicativo y del enfoque por tareas pues en ambos se hace énfasis en el desarrollo de la autonomía del alumno, se concede especial importancia a la dimensión sociocultural y se potencian las capacidades comunicativas de los alumnos.

Creemos, además, que los recursos lúdicos no representan la antítesis de los materiales auténticos, pues aunque en el juego se re-crea una nueva realidad que tiene sus propias reglas, los útiles lingüísticos y las habilidades comunicativas que habrán de desarrollar nuestros alumnos para llevar a cabo esa actividad sí son reales, o ¿es acaso una lengua imaginaria la que utilizan cuando se trasladan a una situación de enunciación ideal en la que se les propone que deseen, prometan, definan, redacten, clasifiquen, califiquen, ofrezcan...? Todas las tipologías de actos de habla tienen cabida en el universo lúdico que os proponemos para que nuestros alumnos liberen su capacidad de fantasía, su imaginación creadora (aunque algunos no lo sepan ¡la tienen!). Ésta es una de las razones por las que hemos utilizado abundantes textos literarios, pues en ellos se encuentran fundidos lo lingüístico y lo cultural, además, el lenguaje literario pone en marcha los recursos expresivos más creadores y dinámicos del idioma.

La enseñanza que promovemos a través de los materiales de este libro no se limita a la consecución de un objetivo lingüístico concreto, también es importante el proceso para alcanzar ese objetivo, porque al abordar una determinada actividad el alumno se ve obligado –gratamente obligado, esperamos– a desarrollar ciertas habilidades comunicativas en pareja o en grupo, que más tarde cristalizarán en la tarea concluida. Y ese proceso de negociación para alcanzar un acuerdo es parte esencial de los objetivos comunicativos que pretendemos conseguir.

Por otra parte, desde hace algún tiempo parece haber un acuerdo bastante general entre los profesores de lenguas extranjeras sobre la finalidad última de nuestra labor: facilitar el proceso que lleve a nuestros alumnos a alcanzar una adecuada competencia comunicativa en la lengua que están aprendiendo. Por eso, otro de los propósitos de este libro es defender que las actividades lúdicas son un valioso recurso, productivo, rentable y con entidad propia suficiente para la consecución de ese objetivo, porque entendemos que la comunicación lingüística –al igual que el juego– es una forma de interacción social que siempre tiene un propósito y que normalmente implica un alto grado de impredictibilidad y creatividad, tanto en la forma como en el contenido.

Así pues, no pretendemos ofrecer un repertorio de actividades lúdicas para que a modo de "retal" festivo tape huecos o consuma tiempos sobrantes en el aula. Hemos intentado dotarlas de una articulación y sobre todo de un espíritu común con el propósito de demostrar que mediante recursos lúdicos se pueden trabajar con gran rendimiento las cinco áreas de habilidad que integran la competencia comunicativa: competencia gramatical, discursiva, estratégica, sociolingüística y sociocultural. Son precisamente estas subcompetencias las que nos han ayudado a vertebrar las distintas actividades en diferentes capítulos:

Capítulo 1: Competencia gramatical

1.1. Ortografía; Fonética y Fonología; Entonación

1.2. Léxico (vocabulario, modismos...)

1.3. Morfosintaxis

En este primer capítulo hemos recogido actividades directamente relacionadas con el dominio del código lingüístico: reglas gramaticales, léxico, formación de palabras y oraciones, pronunciación, ortografía y semántica.

Capítulo 2: Competencia discursiva

2.1. Textos orales

2.2. Textos escritos

Presentamos una selección de recursos que potencian la capacidad para construir e interpretar textos –orales o escritos– utilizando mecanismos que den cohesión formal y coherencia en el significado.

Capítulo 3: Competencia estratégica

Con las actividades reunidas en este tercer capítulo pretendemos desarrollar en nuestros alumnos la capacidad de aplicar estrategias de compensación en aquellas situaciones en las que la comunicación está limitada, bien por insuficiente conocimiento del código –o de otra subcompetencia–, bien por fallos originados por las condiciones reales en las que se lleva a cabo.

Capítulo 4: Competencia sociolingüística y competencia sociocultural

Hemos preferido agrupar en este último capítulo actividades que desarrollan la habilidad para manejar los distintos registros adecuados a cada situación teniendo en cuenta los factores contextuales y las normas y convenciones de cada interacción. En todas ellas se precisa el conocimiento del contexto sociocultural en el que se utiliza la lengua y la capacidad para la adopción de estrategias sociales apropiadas en cada caso.

En cada apartado ofrecemos actividades que ejemplifican y contextualizan estructuras lingüísticas que vemos habitualmente en clase pero que aquí se practican de manera comunicativa. Todas ellas han sido llevadas al aula de español lengua extranjera y han superado esa prueba de fuego con resultados altamente satisfactorios.

Cada una de las tareas propuestas en el libro viene presentada por una ficha de rápida lectura en la que se consignan los siguientes datos:

- El título que da nombre al juego y remite al ÍNDICE.

- Las destrezas que se practican: expresión oral, expresión escrita, comprensión lectora y comprensión auditiva.

- El objetivo comunicativo con el que se expresan las habilidades comunicativas y los objetivos pragmáticos que dicho juego recrea.

- El objetivo gramatical, donde se detallan los contenidos gramaticales concretos que se pueden ejercitar en cada caso.

- El nivel lingüístico que se requiere para llevar a cabo la tarea: elemental, medio y avanzado.

- El material que necesitará el profesor para realizar la actividad.

- El desarrollo del juego, en el que se expone la explicación de cada actividad de forma clara y concisa acompañada siempre de los textos que le sirven de fundamento y apoyo.

Hemos considerado en muchos casos **variaciones** y **sugerencias** que aparecen reseñadas al final de cada exposición y que indican la posibilidad de adaptarse a nuevos contenidos o distintos niveles. Son materiales abiertos, dotados de la flexibilidad suficiente para ser moldeados según los intereses concretos de cada momento.

No hemos tenido en cuenta el factor *tiempo* porque estimamos que es un dato demasiado variable y dependiente de circunstancias tales como número de alumnos, extensión del producto final creado por los estudiantes y revisado en la puesta en común o la habilidad del profesor para aprovechar la materia lingüística y cultural que va saliendo a lo largo de la actividad. Creemos, en definitiva, que es preferible someter el factor *tiempo* a juicio del profesor, quien valorará en cada caso los elementos que incidirán en la duración.

En determinadas ocasiones, las actividades pretenden desarrollar una práctica lingüística integral y abierta, por tanto, se nos ha hecho difícil concretar los objetivos comunicativos y los objetivos gramaticales. No obstante, hemos hecho un esfuerzo por señalar expresamente algunos de ellos.

El juego no es necio –ni necios somos los que jugamos–, dentro de sus fronteras existe un orden propio y casi absoluto. El juego, realizado en parejas o en pequeños grupos, se convierte en un convenio, en una liberación repentina de las ataduras, porque en esa colaboración, en ese intercambio con los compañeros se comparten los éxitos y se diluye la "responsabilidad" de los errores, que para nuestros alumnos representan casi un estigma aunque nosotros sepamos que son inevitables, necesarios e inherentes al proceso de aprendizaje, incluso, como decía G. Rodari son muchas veces creativos. Los estudiantes se convierten, de esta manera, en los verdaderos protagonistas, corresponsables de su proceso de aprendizaje, pues el juego es ahora una forma de actividad llena de sentido, que compromete activamente las capacidades que potencian su competencia comunicativa: tendrá que participar *escribiendo textos, imaginando soluciones, reaccionando, contando historias, preguntando o contestando...* Esa participación, a menudo espontánea y desinhibida de nuestros alumnos, permite a los profesores determinar en qué medida sus conocimientos se han transformado en habilidades, además de ofrecernos la posibilidad de detectar errores que de otra manera serían difíciles de aislar.

El tedio es enemigo del pensamiento y quizá por eso los recursos lúdicos son excelentes potenciadores de dinámicas creativas. Con ellas, a buen seguro, todos aprenderemos a mirar con otros ojos lo cotidiano, a inventar, a ser unas veces triviales y otras profundos, en definitiva, recuperaremos la capacidad de ser espontáneos y reconquistaremos la madurez, rehabilitando cualidades que realmente no son sólo cosas de niños. El *homo sapiens* no puede hacernos olvidar al *homo ludens.* Es la invitación que os hacemos desde estas páginas:

Señoras, señores ¡Hagan juego (s)!

Isabel Iglesias Casal y **María Prieto Grande**

NOTA A LA SEGUNDA EDICIÓN:

Para facilitar a los profesores el manejo de este libro, se han añadido dos nuevos índices: Índice de objetivos gramaticales e Índice de objetivos comunicativos.

ÍNDICE GENERAL

ÍNDICE DE OBJETIVOS GRAMATICALES

ÍNDICE DE OBJETIVOS COMUNICATIVOS

1. COMPETENCIA GRAMATICAL

1.1. ORTOGRAFÍA; FONÉTICA Y FONOLOGÍA; ENTONACIÓN

FUGA DE VOCALES

Destrezas: Expresión oral, expresión escrita.

Objetivo comunicativo: Expresar acuerdo o desacuerdo.

Objetivo gramatical: Ortografía. Reconocer vocabulario agrupado por campos semánticos.

Nivel: Elemental, intermedio, avanzado.

Material: Ninguno.

Desarrollo: El profesor escribe en la pizarra una lista de palabras –agrupadas por campos semánticos– en las que ha dejado en blanco los espacios correspondientes a las vocales. Los alumnos, en parejas o en pequeños grupos, han de intentar completarla adecuadamente. Los primeros que lo hagan de manera correcta ganan.

ROPA	ALIMENTOS	MEDIOS DE TRANSPORTE	COLORES
• F__LD__	• P__N	• B__RC__	• N__GR__
• C__M__S__	• L__CH__	• __V__ __N	• __M__R__LL__
• P__NT__L__N	• CH__R__Z__	• B__C__CL__T__	• __Z__L
• C__LC__T__N__S	• G__LL__T__S	• TR__N	• N__R__NJ__
• J__RS__Y	• C__RN__	• __ __T__B__S	• V__RD__
• __BR__G__	• P__SC__D__	• C__CH__	• R__J__
• CH__Q__ __T__	• T__M__T__S	• H__L__C__PT__R__	• M__RR__N

Soluciones: **Ropa:** Falda, camisa, pantalón, calcetines, jersey, abrigo, chaqueta. **Alimentos:** Pan, leche, chorizo, galletas, carne, pescado, tomates. **Medios de transporte:** Barco, avión, bicicleta, tren, autobús, coche, helicóptero. **Colores:** negro, amarillo, azul, naranja, verde, rojo, marrón.

VARIANTE:
EL REFRÁN INCOMPLETO: En los niveles intermedio y avanzado puede

hacerse una variante con refranes conocidos o con modismos de uso frecuente.

El profesor los escribe en la pizarra omitiendo las vocales. Los alumnos intentarán descubrir las vocales "fugadas". Si pasado un cierto tiempo ninguno es capaz de dar respuesta correcta pueden pedir pistas preguntando, por ejemplo, ¿hay alguna e? Si la hubiera, el profesor la colocará en su lugar correspondiente y los jugadores intentarán adivinar cuál es el refrán. Si necesitan más ayuda se siguen dando pistas hasta que alguien dé con la solución correcta. Ejemplos:

- L__ / B__ __N__ / S__ / BR__V__ / D__S / V__C__S / B__ __ N__.

  Lo bueno si breve, dos veces bueno.

- __N__ / __M__G__N / V__L__ / M__S / Q__ __ / M__L / P__L__BR__S.

  Una imagen vale más que mil palabras.

LA TARTA DE MANZANA

Destrezas: Expresión oral, expresión escrita.

Objetivo comunicativo: Expresar acuerdo o desacuerdo. Solicitar información lingüística preguntando sobre la pronunciación o la ortografía correctas; preguntar por el significado de una palabra o expresión.

Objetivo gramatical: Ampliar el léxico verbal; Pretérito Indefinido e Imperfecto de verbos regulares e irregulares.

Nivel: Elemental, intermedio, avanzado.

Material: Ninguno.

Desarrollo: El profesor inicia el juego diciendo *A era una tarta de manzana.* Los alumnos, agrupados en equipos de dos, deberán ir diciendo por orden la letra del alfabeto que corresponda y verbos que empiecen por esa letra determinada. Un voluntario irá escribiéndolo todo en la pizarra:

A era una tarta de manzana

   B la besó ➡ C la comió ➡ CH la chupó ➡ D la dividió ➡ E la escondió ➡ F la fabricó ➡ G la g...

Y así hasta terminar el alfabeto.

Sugerencias: Puede utilizarse la actividad para practicar el Imperfecto de Indicativo:

A era una tarta de manzana

   B siempre la besaba ➡ C siempre la cortaba ➡ CH siempre la ch...

Nota: Variante tomada de Dinámicas de animación: Manuales Prácticos, número 5, Equipo CEDECO, Quito, 3ª edición, 1989.

CADENA DE PALABRAS

Destrezas: Expresión oral, expresión escrita, comprensión auditiva.

Objetivo comunicativo: Solicitar información lingüística preguntando sobre la pronunciación o la ortografía correctas y por el significado de una palabra.

Objetivo gramatical: Práctica combinada de vocabulario, fonética y convenciones ortográficas; uso de preposiciones (en la variante sugerida).

Nivel: Elemental, intermedio, avanzado.

Material: Ninguno.

Desarrollo: Cada jugador debe decir una palabra encadenando la sílaba final de la palabra dicha por el compañero anterior:

Ca*sa*   *sana*   na*rices*   *cesto*   to*mate*   tener...

Un voluntario irá escribiendo en la pizarra toda la cadena. Como variante para niveles iniciales puede simplificarse encadenando únicamente la última letra de la palabra anterior.

Al final de la actividad si algún alumno desconoce el significado de una palabra puede pedirle al compañero que la sugirió que se la defina. Si todavía no queda claro puede intervenir el profesor.

VARIANTE:
CADENA PREPOSICIONAL: En niveles avanzados el primer jugador
puede decir una estructura preposicional que se va repitiendo encadenando únicamente la última palabra. Ejemplos:

- Libro para pensar, pensar para comer, comer para vivir, vivir para soñar, soñar para el futuro, futuro para un hombre, un hombre para...

- Cuento de niños, niños de escuela, escuela de rebeldes, rebeldes de espíritu, espíritu de Navidad, Navidad de familia, familia de animales, animales de circo, circo de estrellas, estrellas de...

- Dibujos sin colores, colores sin fuerza, fuerza sin razón, razón sin dudas, dudas sin resolver...

ADIVINA LA RIMA

Desarrollo: Una persona sale de clase. Los compañeros que permanecen en el aula eligen una palabra y buscan otra que rime con ella. Cuando el alumno entra de nuevo, deberá adivinar la palabra "misteriosa" sólo con la ayuda de esa otra que rima con ella.

En los ejemplos que proponemos figura entre paréntesis la palabra "misteriosa" que debe adivinar el estudiante. La otra será la pista que se le dé para adivinarla.

- (árbol) ➡ mármol
- (bolsillo) ➡ colmillo
- (ojo) ➡ cojo
- (camión) ➡ canción
- (cabeza) ➡ pereza
- (playa) ➡ vaya
- (pastilla) ➡ camilla

Finalmente, los alumnos pueden intentar construir dos versos de un poema imaginario con estas parejas de palabras.

Os proponemos otras variantes con rimas:

VARIANTE:
¡SOMOS POETAS!: El profesor agrupa a los alumnos de cuatro en cuatro. Al azar, va preguntando palabras, las anota en la pizarra y después de las dos primeras, la tercera que digan los alumnos debe rimar con la primera, la cuarta con la segunda. Si se quiere hacer más largo, la sexta con la tercera...

Después, en grupos, deben intentar hacer un poema utilizando estas palabras al final de sus versos.

VARIANTE:
RIMO CON MI VECINO: Se trata de jugar a rimar palabras (tienen que rimar las tres últimas letras). Queda eliminado el alumno que no pueda continuar.

Después de muchas palabras o cuando sale una muy difícil se empieza otra vez. Se puede dejar un poco de tiempo para pensar después de que el profesor dice la primera palabra.

- **Bebido:** todos los participios de -ER -IR.
- **Fontanero:** carpintero, madero...
- **Electricista:** artista, malabarista...

EMPIEZA Y TERMINA

Destrezas: Expresión oral, expresión escrita.

Objetivo comunicativo: Expresar acuerdo o desacuerdo.

Objetivo gramatical: Vocabulario; orden sintáctico de los elementos en la oración (en la variante propuesta).

Nivel: Intermedio y avanzado.

Material: Tarjetas con el alfabeto y con palabras.

Desarrollo: El profesor lleva a clase dos montones de tarjetas con el alfabeto. Hace dos equipos y una persona de cada grupo coge dos cartas, se vuelve al grupo y en 30 segundos deben escribir una palabra que empiece y acabe por las letras que indican sus cartas. Deben eliminarse las letras que nunca aparecen al final de palabra en español, o que les resulten muy difíciles: (b,c, f, g, h, j, k, m, p, q, t, v, x).

Sugerencias: En niveles avanzados el profesor puede llevar a clase dos grupos de tarjetas con palabras. Divide a los alumnos en dos equipos y cada grupo escoge una carta de cada montón, vuelven a su equipo y en un minuto deben hacer una frase que empiece y termine por esas palabras. Ganan las más divertidas y ocurrentes.

TRABALENGUAS

Destrezas: Expresión oral, expresión escrita.

Objetivo comunicativo: Solicitar información lingüística preguntando sobre la pronunciación correcta.

Objetivo gramatical: Practicar y mejorar la pronunciación. Práctica de las variantes ortográficas con que se representan determinados fonemas.

Nivel: Elemental, intermedio, avanzado.

Material: Fotocopias de trabalenguas.

Desarrollo: El profesor lleva a clase textos con trabalenguas clásicos para realizar prácticas de pronunciación de sonidos o grupos de sonidos problemáticos en español:

Guerra tenía una parra
y Parra tenía una perra
y la perra de Parra
rompió la parra de Guerra
y Guerra pegó con una porra
a la perra de Parra.
Si la perra de Parra
no hubiera roto
la parra de Guerra,
Guerra no habría pegado
con la porra
a la perra de Parra.

El cielo está enladrillado,
¿quién lo desenladrillará?
El desenladrillador que lo desenladrille,
buen desenladrillador será.

Un niño ñoño de nueve años
en el moño de su hermana
como seña anuda un paño
sin dañarla, con gran maña.

Tras realizar las prácticas de pronunciación con estos textos, se anima a los alumnos a que se inventen trabalenguas en los que aparezcan variantes de los fonemas españoles que más dificultades suelen presentar para los extranjeros: / x /, / θ /, / r̄ /. Al mismo tiempo se trabaja con las diferentes grafías que pueden adoptar los dos primeros dependiendo de la vocal que los acompañe.

- **Fricativa velar: / x /**
  El generoso y genial gestor Javier Justo Jiménez giraba gimiendo y gesticulando.
  El juez Ginés Jacobo juzgó justa y generosamente al joven jugador.

- **Fricativa interdental: / θ /**
  El cejijunto zapatero Zacarías Zúñiga Centeno cebaba a los cerdos con cerezas.
  El célebre y celoso cineasta celebró la ceremonia civil cerca de la ciudad.

- **Líquida vibrante múltiple: / r̄ /**
  La rizosa y recatada Rosana Ruiz Rosal rezaba rosarios rogando respetuosamente.
  El rubio y rebelde Ricardo Rodríguez Román redactaba reducidos refranes en su refugio.

VARIANTE:
CANDA FARNANDA SÁPTAMA: El profesor escribe en la pizarra
una frase: *Cuando Fernando Séptimo usaba* **paletó** y anima a los alumnos a decirla utilizando en su dicción una sola vocal:

Con la a: Canda Farnanda Sáptama asaba palatá.

Con la e: Quende Fernende Sépteme esebe peleté. Y así con todas las vocales.

Se puede dificultar haciendo que utilicen todas las vocales por orden:

Cande Firrondu Sáptemio suba peltó.

LECTORES REUNIDOS

Destrezas: Expresión oral, comprensión lectora.

Objetivo comunicativo: Solicitar información lingüística sobre la pronunciación de palabras o expresiones.

Objetivo gramatical: Practicar y mejorar la modulación de distintos modelos entonativos en el discurso.

Nivel: Elemental, intermedio, avanzado.

Material: Un texto breve.

Desarrollo: El profesor selecciona un texto y cada alumno debe leerlo con un tipo de entonación determinada, según le corresponda: cómo lo haría *un niño, un sacerdote, un locutor deportivo, una persona que está muy triste, alguien que está muy alegre, un político en plena campaña electoral, una persona enamorada, alguien que tiene miedo, alguien que da órdenes...*

Os proponemos dos textos:

Ventana sobre las prohibiciones

En la pared de una fonda de Madrid, hay un cartel que dice: "Prohibido el cante". En una pared del aeropuerto de Río de Janeiro, hay una cartel que dice: "Prohibido jugar con los carritos porta-valijas".

O sea: todavía hay gente que canta, todavía hay gente que juega.

(Eduardo Galeano, *Las palabras andantes*)

Las palabras y los conceptos son indicios, no reflejo de la realidad.
Pero, como dicen los místicos orientales
"Cuando el sabio señala la luna,
el idiota no ve más que el dedo".

(Anthony de Mello, *La oración de la rana I*)

ORTOGRAFÍA; FONÉTICA Y FONOLOGÍA; ENTONACIÓN

También pueden ejercitarse cambios en la entonación a partir de una frase sencilla: preguntando, exclamando, dudando, con ironía, afirmando, etc. O modular varias veces una secuencia neutra como *Mañana volverá otra vez Antonio* o *Mira, un par de gemelos*, imprimiendo en cada ocasión un sentimiento distinto: tristeza, alegría, indiferencia, expectación, aburrimiento, rabia, miedo, desdén...

VARIANTE:
CONVERSACIÓN NUMÉRICA: Con esta variante se pueden trabajar de
manera conjunta los numerales y distintos modelos entonativos.

Los alumnos se distribuyen en parejas y, por turnos, tendrán que actuar delante de sus compañeros. El primero dirá un número a su compañero, pero con una entonación particular que previamente habrán acordado entre los dos (de temor, risa, sorpresa, nerviosismo, tristeza, llorando, ordenando de manera enérgica, entonando de manera amorosa, etc.). Éste debe responder con otro número y la misma entonación y gestos. El resto de la clase deberá adivinar qué tipo de sentimiento están tratando de transmitir.

Sugerencias: También puede imitarse una "conversación" más larga a base de números, o repitiendo varias veces el mismo utilizando determinados tipos de curvas de entonación y expresando matices diferentes.

IDENTIFICA EL NÚMERO

Destrezas: Expresión oral, comprensión auditiva.

Objetivo comunicativo: Mostrar acuerdo o desacuerdo.

Objetivo gramatical: Practicar los numerales.

Nivel: Elemental e intermedio.

Material: Ninguno.

Desarrollo: Se escriben en la pizarra diferentes números desordenados –del diez o del cien en adelante dependiendo del nivel de la clase–. Se hacen dos equipos y cada uno ha de señalar el número de diferente forma, por ejemplo, el A con un círculo y el B con un cuadrado. El profesor grita un número y un jugador de cada equipo debe correr lo más rápido posible y marcarlo. El primero que lo haga gana un punto para su equipo. Los números deberán cambiarse cada tres viajes.

Sugerencias: En lugar de números pueden escribirse fechas, horas o números de teléfono.

BINGO DE HORAS

Destrezas: Expresión oral, comprensión auditiva.

Objetivo comunicativo: Hablar de lo que uno hizo en el pasado.

Objetivo gramatical: Horas; presente de Indicativo; perífrasis estar + gerundio.

Nivel: Elemental e intermedio.

Material: Cartones con diferentes horas.

Desarrollo: Se hacen cartones de bingo pero con relojes que marquen horas diferentes indicando también si son a. m. o p. m. El profesor tiene una lista en la que se recogen todas las horas que aparecen en ellos. A medida que va cantando las horas al azar, las va tachando, hasta que alguien consiga línea o bingo. Cuando se compruebe el cartón, el alumno que haya ganado deberá decir a sus compañeros qué estaba haciendo ayer a esas horas determinadas.

Imaginemos que el alumno ganador tiene un cartón con las siguientes horas:

> **08:30 a.m.** Ayer a las *8:30* me estaba duchando.
>
> **11:00 a.m.** Ayer a las *11:00* estaba tomando un café en el bar de la facultad.
>
> **10:15 p.m.** Ayer a las *10:15* estaba celebrando mi cumpleaños en un restaurante con unos amigos.
>
> ....

Y así, hasta que agote todas las horas de su cartón.

Os proponemos dos variantes más para trabajar las horas:

VARIANTE:
¿QUÉ HORA ES?:
Sin que los alumnos lo vean, el profesor elige una hora determinada en un reloj fácilmente manipulable por detrás, o en fichas con diferentes horas o simplemente dibujándolo en un papel. Por parejas o individualmente, los jugadores han de adivinar de qué hora se trata. El profesor como pista podrá decir únicamente *más temprano* o *más tarde*.

RELOJES ATRASADOS, RELOJES ADELANTADOS: Se ha-

cen dos equipos. Uno de "relojes atrasados" y otro de "relojes adelantados". El profesor dice una hora y señala a un miembro de uno de los dos equipos. Por ejemplo: *Son las cinco y cuarto.* Y señala a uno de los relojes adelantados, que deberá decir cinco minutos más: *Pues yo tengo las cinco y veinte.* Si señalara a alguien del equipo de relojes atrasados debe descontar cinco minutos a la hora dada por el profesor.

ARITMÉTICA PURA

Destrezas: Expresión oral, comprensión auditiva.

Objetivo comunicativo: Preguntar por una cantidad.

Objetivo gramatical: Numerales.

Nivel: Elemental e intermedio.

Material: Ninguno.

Desarrollo: Se hacen dos equipos A y B. Un estudiante de cada grupo elige a un miembro del equipo contrario para que conteste a su pregunta. Ésta debe ser una operación aritmética sencilla, por ejemplo *¿Cuántos son 7 y 5?* o *¿Cuántas son 13 menos cuatro?* Si B se equivoca, el equipo A gana un punto y tiene la oportunidad de volver a preguntar. Si B acierta, consigue un punto para su equipo y el turno de preguntas.

VARIANTE:

SUMA Y SIGUE: El profesor reparte a cada alumno un cartón en el que figuran

operaciones matemáticas sencillas y va dando los resultados de esas operaciones. Los jugadores que tengan la operación cuyo resultado canta el profesor van tachándola hasta que alguien consiga línea o bingo.

ZIPI ESTÁ LLAMANDO A ZAPE

Destrezas: Expresión oral, comprensión auditiva.

Objetivo comunicativo: Mostrar acuerdo o desacuerdo; preguntar o dar la hora.

Objetivo gramatical: Numerales.

Nivel: Elemental e intermedio.

Material: Ninguno.

Desarrollo: Los jugadores se colocan formando un círculo. El primero de ellos será Zipi y el último Zape. Los demás se numerarán en orden correlativo a partir del número que se desee. Zipi empieza diciendo, por ejemplo: *Zipi llama a 23.* El 23 debe responder rápidamente sin dudar llamando a otro número. Si alguien falla al no contestar de inmediato, se coloca en el último lugar –el de Zape– obligando a que todos los jugadores se reenumeren.

Sugerencias: En vez de números puede hacerse con horas: *2.15 llamando a 2.30...*

VARIANTE:

CAMBIO DE PUESTO: Los alumnos, en círculo se numeran. Uno de ellos, de pie en el centro, grita dos números y esos dos jugadores se intercambian rápidamente sus puestos. El del medio tratará de ocupar una de esas dos plazas libres. Si lo consigue, el jugador sin sitio ocupará el puesto central y se comenzará de nuevo.

1. COMPETENCIA GRAMATICAL

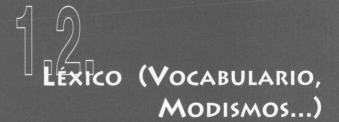

1.2.

LÉXICO (VOCABULARIO, MODISMOS...)

El Equipaje

Destrezas: Expresión oral, expresión escrita, comprensión auditiva.

Objetivo comunicativo: Explicar la causa o la finalidad de algo.

Objetivo gramatical: Practicar vocabulario; oraciones causales y finales.

Nivel: Elemental, intermedio, avanzado.

Material: Ninguno.

Desarrollo: Se explica a los alumnos que el profesor va a realizar un viaje y que tiene que preparar una gran maleta. Por turnos, ellos tendrán que ir diciendo qué artículos podría llevar, siguiendo el orden del alfabeto (*de la A a la Z*). Las respuestas por curiosas que resulten han de ser verosímiles.

Ejemplos:

A nillo, b etún, c alcetines, ch aqueta, d iploma, e ncendedor, f otos, g abardina, h ilo, i mán, j arabe, l ibros, m anzanas, n eceser, o rujo, p ipa, q ueso, r eloj, s ombrero, t oalla, u vas, y o-yo, z apatos.

Después, en los niveles intermedio y avanzado, cada alumno tendrá que explicar por qué o para qué llevaría ese determinado artículo. Por ejemplo, *el anillo para regalárselo a su novia; el betún para limpiarse los zapatos; los calcetines para...*

VARIANTE:

HAZ LA MALETA DE ANTONIO BANDERAS: El profesor divide la clase en dos equipos. Cada grupo debe pensar en un personaje famoso. El otro equipo debe intentar adivinarlo preguntando qué cosas metería en la maleta.

¡STOP!

Destrezas: Expresión oral, expresión escrita.

Objetivo comunicativo: Solicitar información lingüística: preguntar sobre la ortografía correcta.

Objetivo gramatical: Practicar el alfabeto y el léxico.

Nivel: Elemental, intermedio, avanzado.

Material: Ninguno.

Desarrollo: El profesor o un alumno piensa en una palabra y escribe en la pizarra tantos trazos como letras tenga. El resto de la clase tiene que ir preguntando si tiene tal vocal o tal consonante.

Por cada error, se realiza un trazo del dibujo *Stop*. Sólo se permiten siete errores.

Sugerencias: En niveles avanzados puede hacerse con refranes o con modismos.

La Gata de mi Abuela

Destrezas: Expresión oral, expresión escrita, comprensión auditiva.

Objetivo comunicativo: Hablar sobre cualidades y defectos.

Objetivo gramatical: Practicar el vocabulario de las descripciones físicas y del carácter. Usos de *ser* y *estar* con adjetivos y participios.

Nivel: Elemental, intermedio, avanzado.

Material: Ninguno.

Desarrollo: Es una adaptación de un viejo juego inglés para fiestas. Puede jugarse individualmente o por equipos. Un alumno ejerce de secretario y va tomando nota en la pizarra de todo el vocabulario que sus compañeros vayan diciendo, siguiendo, eso sí, el orden alfabético. Primero con el verbo *ser* y después con el verbo *estar*.

LA GATA DE MI ABUELA ES:

admirable, buena, cariñosa, dócil, enfermiza...

LA GATA DE MI ABUELA ESTÁ:

agotada, borracha, celosa, débil, enferma...

Sugerencias: Suele dar buen resultado jugar a describir –lógicamente sin conocerlos– a la novia o el novio de la persona que ejerce de secretario porque la clase se implica más e incluso los defectos más reprobables son disfrutados con buen humor por nuestra "víctima".

LAS MUÑECAS RUSAS

Destrezas: Expresión oral, expresión escrita.

Objetivo comunicativo: Solicitar información lingüística: preguntar sobre el significado, la pronunciación o la ortografía de una palabra. Corregir algo a alguien.

Objetivo gramatical: Ampliar vocabulario.

Nivel: Intermedio, avanzado.

Material: Ninguno.

Desarrollo: El profesor o un alumno piensa en una palabra y escribe en la pizarra tantos trazos como letras tenga. Debe ser una palabra cuya estructura contenga a su vez al menos otras dos palabras, leídas siempre de izquierda a derecha. Además de señalar el número de letras con trazos, se dan pistas sobre las palabras que han sido "tragadas" por el término en el que hemos pensado. Por ejemplo:

ACANTILADOS sería __ __ __ __ __ __ __ __ __ __ y ofreceríamos las pistas siguientes como si se tratase de resolver un crucigrama:

- 2-3-4: Perro.
- 5-6-7-8: Infusión que se toma para tranquilizarse y calmar los nervios.
- 7-8-9-10: Un triángulo tiene tres.

Soluciones: *can; tila; lados*

Como se puede comprobar, los números que preceden a las pistas indican el orden de las letras que forman esa palabra "interior". Lógicamente las soluciones que indicamos en cursiva no se facilitarán a los alumnos.

——— ——— ——— ——— ——— ——— ——— ———

- 2-3-4: Conjunto de dos cosas iguales.
- 2-3-4-5: Preposición.
- 6-7-8: Expulsión violenta del aire pulmonar por la garganta que produce un ruido característico, como ocurre en los catarros, por ejemplo.

Soluciones: *par, para, tos.*   **Palabra:** *APARATOS*

— — — — — — — — —
- **4-5:** Primera persona del singular del Indefinido del verbo ver.
- **6-7-8-9:** Mamíferos plantígrados, pesados, de andar lento, con pelaje largo y espeso.

Soluciones: *vi, osos.*   **Palabra:** *NERVIOSOS*

— — — — — — — — — —
- **4-5-6:** Parte inferior que forma ángulo recto con la pierna en las extremidades de las personas.
- **6-7-8-9:** Tiempo que una persona o un animal ha vivido desde que nació hasta el momento que se considera.
- **4-5-6-7-8-9:** Sentimiento de pena hacia una persona desgraciada o que sufre.

Soluciones: *pie, edad, piedad.*   **Palabra:** *PROPIEDAD*

— — — — — — — — — —
- **1-2-3-4-5-6:** Cualquier mueble o utensilio de una casa (normalmente se aplica a lo que no sirve para nada o ha dejado de servir).
- **6-7-8-9-10:** Decorar, adornar, ornamentar.

Soluciones: *trasto, ornar*   **Palabra:** *TRASTORNAR*

— — — — — — — — —
- **1-2-3-4:** Prenda de vestir masculina usada en vez de chaqueta en actos solemnes. Por delante llega sólo a la cintura y, por detrás, lleva dos faldones o colas.
- **4-5-6-7:** Hogar, sitio donde se vive.
- **4-5-6-7-8:** Unir a una persona en matrimonio.

Soluciones: *frac, casa, casar.*   **Palabra:** *FRACASAR*

— — — — — — — — — — —
- **1-2-3-4-5:** Título nobiliario que sigue en categoría al de duque.
- **10-11-12-13-14-15:** Pieza dura de filo cortante implantada en las encias y que sirve para masticar.

Soluciones: *conde, diente.*   **Palabra:** *CONDESCENDIENTE*

- **2-3-4-5:** Porción de tierra rodeada de mar.
- **6-7-8-9-10-11:** No digo la verdad.

Soluciones: *isla, miento.*   **Palabra:** *AISLAMIENTO*

VAMOS A "POTOTEAR"

Destrezas: Expresión oral, expresión escrita, comprensión auditiva.

Objetivo comunicativo: Pedir información.

Objetivo gramatical: Presente de Indicativo; oraciones interrogativas.

Nivel: Intermedio y avanzado.

Material: Ninguno.

Desarrollo: Un alumno sale fuera de clase y el resto piensa en un verbo que van a sustituir por "pototear". Cuando entra el compañero irá formulando preguntas para tratar de adivinar a qué verbo sustituye. A las preguntas sólo podrán contestar con *sí* o *no*.

Ejemplos: Imaginemos que la clase ha acordado que "pototear" va a sustituir al verbo *hablar*. El alumno que trata de adivinar puede hacer preguntas como:

- ¿Puedes "pototear" en casa?
- ¿Se puede "pototear" solo?
- ¿Se "pototea" con las manos?
- ¿Se "pototea" más en verano?
- ¿"Pototean" más los hombres que las mujeres?

Sugerencias: Puede sustituirse el verbo "pototear" por otro de la segunda o de la tercera conjugación. En lugar de verbos puede también trabajarse con sustantivos, partiendo de uno imaginario como "nacheta". *¿Puedes tener una "nacheta" en tu habitación? ¿La "nacheta" puede ser de tela?* Como en el caso del "pototeo" la "nacheta" puede ser cualquier objeto: un lapicero, unos zapatos, un armario, etc.

BINGO DE PALABRAS

Destrezas: Expresión oral, expresión escrita, comprensión lectora, comprensión auditiva.

Objetivo comunicativo: Deletrear.

Objetivo gramatical: Ampliar vocabulario.

Nivel: Elemental e intermedio.

Material: Cartones con diferentes objetos dibujados. Un listado de todos los objetos que aparecen en los cartones.

Desarrollo: El profesor reparte a cada alumno un cartón. Él se queda con una lista de todos los objetos que aparecen en los cartones. Al azar, va "cantando" las palabras y las tacha de la lista. El primer alumno que cante línea deberá repetir en voz alta el nombre de los cinco objetos que la componen y después deletrearlos. El que consiga el bingo deberá recordar el nombre de los quince que forman el cartón. Ganará el que logre recordarlos todos correctamente o quien cometa menos errores.

Sugerencias: En lugar de cartones con dibujos pueden aparecer palabras, o ambas cosas. Para el nivel elemental se pueden preparar cartones con un tipo de léxico específico que nos interese trabajar: alimentos, animales, etc.

VARIANTE:

BINGO PERSONAL: Los alumnos elaboran su propio cartón. Todos ellos tienen una hoja de papel con quince recuadros. El profesor escribe una lista en la pizarra de veinticinco o treinta palabras. Cada jugador elige las que quiera para completar su hoja y escribe una en cada casilla. El profesor va diciendo en voz alta palabras y el que las tenga deberá tacharlas hasta completar *línea* y *bingo*.

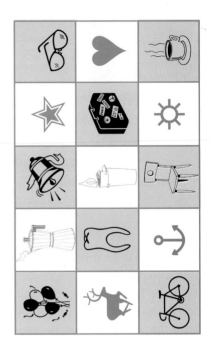

Cuna — Anillo

Bolso — Peine

Playa — Vaso

Gato — Plato — Peine

Bolso — Vaso — Cuadro

Playa — vaso

Cuadro — Arena — Peine — Plato

PALABRAS, PALABRAS, PALABRAS

Destrezas: Expresión oral, expresión escrita, comprensión lectora, comprensión auditiva.

Objetivo comunicativo: Mostrar acuerdo o desacuerdo; solicitar información lingüística sobre ortografía.

Objetivo gramatical: Ampliar vocabulario.

Nivel: Intermedio y avanzado.

Material: Ninguno.

Desarrollo: Por parejas o en pequeños grupos, los alumnos tienen que confeccionar una lista de nombres comunes que empiecen y terminen por la misma letra. Se les da un tiempo determinado, por ejemplo diez minutos, y transcurrido ese plazo se procede a la lectura, cotejando los resultados de todos los equipos. Si una palabra es citada por dos o más grupos, se considera nula. Gana el grupo que tras el recuento final haya conseguido un mayor número de palabras en su lista.

VARIANTE:

PALABRAS CAPICÚA: En niveles avanzados se puede complicar un poco
más pidiendo a los alumnos que busquen palabras que leídas de izquierda a derecha y de derecha a izquierda signifiquen lo mismo, por ejemplo:

- asa - eje - ojo - acá - ama - dad - ata - ala - ele...

VARIANTE:

PALABRAS REVERSIBLES: Otra variante podría ser buscar palabras que
tengan sentido tanto si se leen de izquierda a derecha como de derecha a izquierda:

- Sobar ➡ Rabos
- Amor ➡ Roma
- Rasa ➡ Asar
- Raro ➡ Orar
- Ranas ➡ Sanar
- Raso ➡ Osar
- Sala ➡ Alas
- Salta ➡ Atlas

PARRILLA LÉXICA

Destrezas: Expresión oral, expresión escrita, comprensión lectora, comprensión auditiva.

Objetivo comunicativo: Expresar acuerdo o desacuerdo; solicitar información lingüística sobre ortografía.

Objetivo gramatical: Practicar léxico por campos semánticos.

Nivel: Intermedio y avanzado.

Material: Ninguno.

Desarrollo: Es un juego sobradamente conocido por todos. El profesor dice una letra del alfabeto y los alumnos deberán rellenar en el menor tiempo posible una plantilla con distintos apartados con la única condición de que las palabras que coloquen deben empezar todas con esa misma letra del alfabeto. El primero que consiga cubrir la hoja deberá gritar: *¡Alto!* En ese momento, todos se detienen y se pasa a comprobar los resultados. Se da a cada palabra válida 10 puntos, pero si dos o más jugadores coinciden en una respuesta ésta valdrá sólo 5. Se repite la mecánica varias veces más con diferentes letras y después se realiza el cómputo final para ver quién es el ganador.

Sugerencias: La plantilla puede elaborarse teniendo en cuenta la necesidad de revisar o practicar algún campo léxico determinado. Como ejemplo os proponemos la siguiente:

PROFESIÓN	PAÍS	ADJETIVO	COMIDA	DEPORTE	ANIMAL	OBJETO	COLOR

VARIANTE:

GIMKANA LINGÜÍSTICA:
Se divide la clase en grupos de cinco alumnos y se les dice que deben contestar a las preguntas que el profesor escriba en la pizarra. Gana el grupo que consiga escribir más palabras en un tiempo determinado.

- Palabras que empiecen por L (o por ES, IN...)

- Palabras que acaben en EZ (o en ERO, en DAD...)

- Palabras relacionadas con TIEMPO (o con CASA, DORMITORIO, BANCO...)

- Animales domésticos (o SALVAJES)

- Colores

- Estados de ánimo

- Tipos de carácter

¡A CLASIFICAR!

Destrezas: Expresión oral, expresión escrita, comprensión lectora, comprensión auditiva.

Objetivo comunicativo: Mostrar acuerdo o desacuerdo total o parcial.

Objetivo gramatical: Vocabulario agrupado en distintos campos semánticos.

Nivel: Intermedio y avanzado.

Material: Ninguno.

Desarrollo: El profesor agrupa a los estudiantes por parejas o en equipos de tres o cuatro personas y les propone que hagan clasificaciones de:

- Cosas que hay en el suelo de tu dormitorio.
- Cosas que hay en la cocina o en la nevera de un soltero.
- Cosas que hay en el cuarto de baño de una soltera.
- Estados de ánimo de alguien que ha recibido un gran premio en la lotería.
- Estados de ánimo de los estudiantes el primer día de curso.
- Estados de ánimo de los profesores el último día de curso.

VARIANTE:

PIENSA Y ESCRIBE: El profesor reparte a todos los alumnos una fotocopia con la siguiente actividad:

- Un mango: _____
- Dos ruedas: _____
- Tres patas: _____
- Cuatro lados: _____
- Cinco hermanos iguales: _____
- Seis compañeros de orquesta: _____
- Siete días: _____
- Ocho patas: _____
- Nueve letras: _____
- Diez años: _____

Tras completar la lista con todas las palabras que conozcan, la comparan en parejas e intentan extenderla con más números (Undécimo piso, música dodecafónica, el número de la mala suerte...).

EL NAUFRAGIO

Destrezas: Expresión oral, expresión escrita, comprensión lectora, comprensión auditiva.

Objetivo comunicativo: Mostrar acuerdo o desacuerdo.

Objetivo gramatical: Vocabulario de campos semánticos específicos: ropa, comida, bebida.

Nivel: Intermedio y avanzado.

Material: Ninguno.

Desarrollo: Los alumnos se distribuyen en pequeños grupos. Se les dejan tres minutos para que escriban nombres de *ROPAS, COMIDAS* y *BEBIDAS*. Un portavoz de cada equipo lee la lista que ha confeccionado su grupo. Se van tachando las palabras repetidas en dos o más grupos y lo que queda sin tachar en cada grupo es toda la comida, bebida y ropa de la que disponen después de naufragar en una isla desierta. ¿Quién podrá sobrevivir más tiempo?

Nota: Fuente W.R. Lee, Language Teaching Games and Contest, Oxford University Press, 1979, págs. 43-44.

LA LETRA AÑADIDA

Destrezas: Expresión oral, expresión escrita, comprensión lectora.

Objetivo comunicativo: Solicitar información lingüística sobre el significado de una palabra o sobre su ortografía.

Objetivo gramatical: Vocabulario; ortografía.

Nivel: Elemental, intermedio y avanzado.

Material: Ninguno.

Desarrollo: El primer jugador escribe una letra cualquiera del alfabeto. El siguiente le añade otra que sea continuación de una palabra que él piense, pero que no diga en voz alta. El tercero sigue con otra letra y así hasta que un jugador sea incapaz de continuar o hasta que alguien construya una palabra completa que nadie sea capaz de continuar. Si un jugador no sabe cómo seguir pregunta al anterior en qué palabra estaba pensando. Si no puede contestar o deletrea mal pierde un turno. Cuando pierda tres quedará eliminado.

LA CADENA LÓGICA

Destrezas: Expresión oral, comprensión auditiva.

Objetivo comunicativo: Solicitar información lingüística sobre el significado de una palabra.

Objetivo gramatical: Vocabulario.

Nivel: Intermedio y avanzado.

Material: Ninguno.

Desarrollo: El que dirige el juego dice al azar un nombre de persona, animal o cosa. El siguiente jugador repite la palabra y la encadena con cierta lógica a otra.

Por ejemplo:

> **Alumno 1. – Un raton**
>
> 2. – Un *ratón* me recuerda a un **queso.**
> 3. – Un *queso* me recuerda a la **leche.**
> 4. – La *leche* me recuerda al **café.**
> 5. – El *café* me recuerda al **desayuno.**
> 6. – El *desayuno* me recuerda...

PALABRAS CAMALEÓNICAS

Destrezas: Expresión oral, expresión escrita.

Objetivo comunicativo: Mostrar acuerdo o desacuerdo.

Objetivo gramatical: Vocabulario; pronunciación y ortografía.

Nivel: Elemental, intermedio y avanzado.

Material: Ninguno.

Desarrollo: Se da a los alumnos una lista de palabras. En cada paso, sólo pueden cambiar una letra –vocal o consonante– y el resultado siempre debe ser una palabra que exista en español. Gana el equipo que en un tiempo determinado consiga el mayor número de "metamorfosis" para cada término dado.

- **ROPA** ➡ Roma ➡ rama ➡ rata ➡ rota ➡ rosa ➡ cosa ➡ sosa ➡ sisa ➡ ...
- **SOLA** ➡ sopa ➡ sepa ➡ cepa ➡ cepo ➡ cebo ➡ cabo ➡ rabo ➡ robo ➡ roto ➡ ...
- **MESA** ➡ misa ➡ musa ➡ muda ➡ moda ➡ modo ➡ mido ➡ mito ➡ moto ➡ ...

LA ESCALA MUSICAL

Desarrollo: Los alumnos se distribuyen por parejas o en pequeños grupos. Se supone que acabamos de comprar una casa que está vacía y hay que ir llenándola con personas y con objetos que empiecen por las notas de la escala musical. Es preciso seguir el orden correcto y se puede repetir dos o tres veces la actividad.

- **DO:** docena de huevos, dominó...
- **RE:** reloj, repisas, retratos...
- **MI:** miel, misal, minifaldas...
- **FA:** fármacos, familia, farolas...
- **SOL:** solteros, soldados...
- **LA:** latas, lámparas, lavadora...
- **SI:** sillones, sillas, sierra...

LA PALABRA INTRUSA

Desarrollo: El profesor da a los alumnos una hoja con varios grupos de palabras. En todos ellos hay una que no pertenece al grupo y deben averiguar por qué.

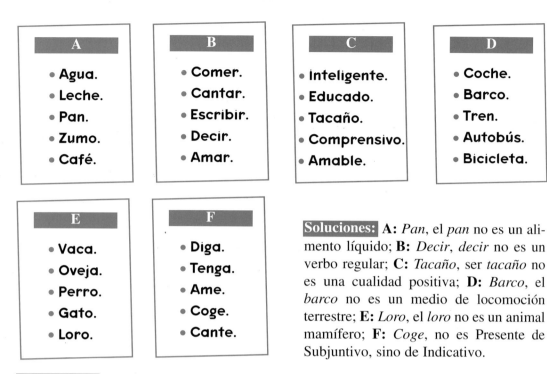

A
• Agua.
• Leche.
• Pan.
• Zumo.
• Café.

B
• Comer.
• Cantar.
• Escribir.
• Decir.
• Amar.

C
• Inteligente.
• Educado.
• Tacaño.
• Comprensivo.
• Amable.

D
• Coche.
• Barco.
• Tren.
• Autobús.
• Bicicleta.

E
• Vaca.
• Oveja.
• Perro.
• Gato.
• Loro.

F
• Diga.
• Tenga.
• Ame.
• Coge.
• Cante.

Soluciones: **A:** *Pan*, el *pan* no es un alimento líquido; **B:** *Decir*, *decir* no es un verbo regular; **C:** *Tacaño*, ser *tacaño* no es una cualidad positiva; **D:** *Barco*, el *barco* no es un medio de locomoción terrestre; **E:** *Loro*, el *loro* no es un animal mamífero; **F:** *Coge*, no es Presente de Subjuntivo, sino de Indicativo.

Sugerencias: Como se ve en los ejemplos la diferencia entre las palabras puede ser de cualquier naturaleza. Así pues, puede utilizarse la actividad en niveles iniciales e intermedios para reforzar algún punto concreto de la gramática (verbos, léxico...).

EXPEDICIÓN DE COMPRAS

Destrezas: Expresión oral, comprensión auditiva.

Objetivo comunicativo: Mostrar acuerdo o desacuerdo.

Objetivo gramatical: Vocabulario del campo semántico compras; ortografía.

Nivel: Intermedio y avanzado.

Material: Ninguno.

Desarrollo: El profesor cuenta una pequeña historia muy simple sobre su amigo Antonio, que fue de compras. La clase se divide en distintos departamentos o clases de tiendas. De vez en cuando el profesor nombra una de esas tiendas y dice que su amigo quiere comprar allí algo que empiece por X (una determinada letra del alfabeto). Los miembros del equipo que representan ese negocio tienen diez segundos para decir una cosa. Si no saben, cualquiera puede contestar y anotar un punto para su equipo.

Supongamos que el profesor dice: *Mi amigo Antonio entró en la **zapatería** y se compró algo que empezaba por **b**...* El equipo que representa la zapatería tendrá que decir algo que empiece por esa letra, por ejemplo, unas **botas**.

UN HOMBRE DE PRINCIPIOS

Destrezas: Expresión oral, expresión escrita, comprensión lectora, comprensión auditiva.

Objetivo comunicativo: Mostrar acuerdo o desacuerdo.

Objetivo gramatical: Vocabulario sobre profesiones, defectos, alimentos, objetos...; ortografía.

Nivel: Intermedio y avanzado.

Material: Ninguno.

Desarrollo: El profesor empezará diciendo que tiene un hermano que es un hombre de principios muy sólidos porque para él todo tiene que empezar con la letra **p**. Se trata de que los alumnos vayan completando la ficha. En la siguiente ronda se cambia de letra.

- **Su profesión es:** *Pintor, profesor*
- **Su mayor defecto es ser:** *Pedante*
- **Su mujer se llama:** *Pilar*
- **Le gusta mucho comer:** *Patatas*
- **Un año se fue de vacaciones a:** *París*
- **Allí se encontro un:** *Perrito*
- **Le encantaría comprarse un:** *Piano*

Sugerencias: Dependiendo de cuáles sean los intereses específicos que tratemos de trabajar se puede completar la ficha con todo tipo de preguntas.

Nota: Variante inspirada en un juego recogido en **Dinámicas de animación CEDECO, Quito, 3ª edición, 1989.**

¿QUÉ SERÁ, SERÁ?

Destrezas: Expresión oral, expresión escrita.

Objetivo comunicativo: Mostrar acuerdo o desacuerdo.

Objetivo gramatical: Ampliar vocabulario.

Nivel: Intermedio y avanzado.

Material: Una cinta con distintos tipos de sonidos.

Desarrollo: El profesor graba sonidos en una cinta de audio. Divide la clase en parejas y les propone que adivinen qué es lo que se oye. Gana la pareja que más cosas adivina. Los alumnos deben ser muy precisos.

Puede grabar, por ejemplo: *una puerta oxidada abriéndose o cerrándose de golpe, un ascensor, la lluvia en los cristales, pisadas que se alejan, el aceite friendo en la sartén, viento, martillazos, un timbre, serrar, la cuna de un bebé, papeles que se arrugan, una llave abriendo una puerta, el ruido de un taladro...*

MEMORIA DE ELEFANTE

Destrezas: Expresión oral, expresión escrita.

Objetivo comunicativo: Mostrar acuerdo o desacuerdo.

Objetivo gramatical: Ampliar vocabulario.

Nivel: Intermedio y avanzado.

Material: Fotos, dibujos o diversos objetos pequeños.

Desarrollo: El profesor enseña a los alumnos fotos o dibujos (o un grupo de objetos). Los alumnos los observan durante dos minutos y después de que el profesor los haya retirado de su vista tienen un minuto para escribir en un papel todos los que recuerden. Finalmente, se agrupan por parejas y gana la que más objetos consiga recordar.

UN, DOS, TRES

Destrezas: Expresión oral, comprensión auditiva.

Objetivo comunicativo: Mostrar acuerdo o desacuerdo.

Objetivo gramatical: Vocabulario relacionado con ciertos campos semánticos; verbos irregulares.

Nivel: Intermedio y avanzado.

Material: Sobres con distintos temas.

Desarrollo: El profesor prepara sobres de colores distintos y en cada uno de ellos mete un papel con un tema escrito: *los médicos, la cocina, monedas de países, colores, adjetivos sobre el carácter de las personas, partes del cuerpo, países europeos, costumbres españolas, platos españoles, nombres de frutas, preposiciones, verbos cuyo Pretérito Indefinido sea irregular, palabras que empiezan por..., que acaban por..., adverbios en -mente...* y todas las que se le ocurran o que sirvan para repasar una parcela de vocabulario o un tema gramatical que se haya visto en clase.

Los alumnos, en parejas y por turno, escogen un sobre y tienen un minuto para decir todas las palabras que se les ocurran sobre el tema; si fallan, repiten una palabra o no se les ocurre ninguna en 15 segundos, quedan eliminados y se pasa a la pareja siguiente. Cada palabra acertada se puntúa con un dos. Gana la pareja que obtiene más puntos. Si la clase es muy numerosa se puede jugar en pequeños grupos.

PARECEMOS ANIMALES

Destrezas: Expresión oral, expresión escrita, comprensión lectora.

Objetivo comunicativo: Ponerse de acuerdo; argumentar; justificar una opinión.

Objetivo gramatical: Vocabulario de expresiones fijas y modismos.

Nivel: Intermedio y avanzado.

Material: Ninguno.

Desarrollo: El profesor escribe en la pizarra el nombre de los animales que va a utilizar y pide a los alumnos que en grupos de tres o cuatro intenten adivinar qué cualidades de estos animales hemos escogido los españoles para calificar físicamente a las personas.

El profesor intentará así explicar el significado de:

- Patas de gallo
- Ojos de carnero degollado
- Piel de gallina
- Cerebro de mosquito
- Vista de lince
- Risa de hiena
- Vida de perro
- Lágrimas de cocodrilo
- Memoria de elefante
- Cuello de jirafa
- Cola de caballo
- Cintura de avispa

SOPONCIO DE LETRAS

Destrezas: Expresión escrita, comprensión lectora.

Objetivo comunicativo: Mostrar acuerdo o desacuerdo.

Objetivo gramatical: Trabajar vocabulario agrupado en campos semánticos.

Nivel: Intermedio y avanzado.

Material: Fotocopias de las sopas de letras.

Desarrollo: Como todo el mundo sabe se trata de identificar los nombres que se ocultan entre las letras, trabajando específicamente un campo léxico determinado.

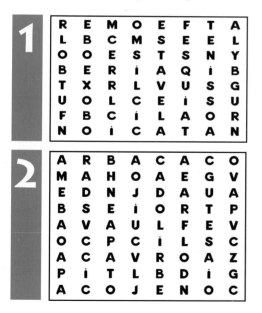

1. Descubre diez deportes.

2. Localiza el nombre de diez animales.

3. Busca diez nombres de frutas.

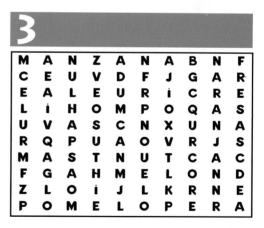

Soluciones:

1. rugby, natación, esquí, vela, remo, fútbol, ciclismo, boxeo, tenis y tiro.

2. conejo, pavo, gallina, oca, pato, cabra, vaca, oveja, asno y cerdo.

3. manzana, ciruela, fresa, naranja, uvas, pomelo, pera, melón, plátano y melocotón.

¡QUÉ ANIMAL!

Destrezas: Expresión oral, expresión escrita.

Objetivo comunicativo: Mostrar acuerdo o desacuerdo.

Objetivo gramatical: Ampliar el léxico trabajando con modismos.

Nivel: Intermedio y avanzado.

Material: Fotocopia de la sopa de letras y las oraciones.

Desarrollo: Se reparte a cada pareja una hoja de oraciones con modismos para que las completen con los nombres de animales que se esconden en la sopa de letras.

```
M  i  G  A  N  S  O  T  G  S
O  i  A  K  M  E  L  A  i
N  O  F  U  T  R  C  O  L  M
O  i  G  E  S  O  F  R  L  E
B  U  R  R  O  A  O  O  i  O
L  E  J  A  N  U  B  A  N  T
T  O  R  O  S  i  O  M  A  A
U  N  C  A  B  A  L  L  S  P
Ñ  E  D  A  Z  U  L  R  E  M
M  U  S  A  R  A  Ñ  A  S  O
```

1. Tratar a alguien con desprecio, no darle importancia, es tratarlo como al último _____.

2. Ser muy miope es no ver tres en un _____.

3. Ir muy deprisa, sin detenerse en detalles es ir a mata _____.

4. Buscar las dificultades es buscarle tres pies al _____.

5. Irse a la cama muy pronto es acostarse con las _____.

6. Meterse en un lío, en un peligro, es meterse en la boca del _____.

7. Conocer todo lo que está ocurriendo en el momento, saber lo que está de moda es estar al _____.

8. Pagar las consecuencias negativas de una acción sin tener la culpa es pagar el _____.

9. No meterse en líos y ver las disputas de lejos es ver los _____ desde la barrera.

10. Hacer el tonto es hacer el _____.

11. Tu hermano nunca se entera de nada, siempre está distraído pensando en las _____.

12. ¡Vaya _____ que tenía tu vecino el día del cumpleaños de su cuñado!

Soluciones: mono, burro, caballo, gato, gallinas, lobo, loro, pato, toros, ganso, musarañas, merluza.

LAS PARTES DEL CUERPO

Destrezas: Expresión oral, expresión escrita, comprensión lectora.

Objetivo comunicativo: Solicitar información lingüística; mostrar acuerdo o desacuerdo.

Objetivo gramatical: Las estructuras fraseológicas (modismos).

Nivel: Intermedio y avanzado.

Material: Fotocopias del crucigrama y de los modismos.

Desarrollo: Se trata de completar un crucigrama de partes del cuerpo que entran en la formación de modismos o frases hechas de uso muy frecuente.

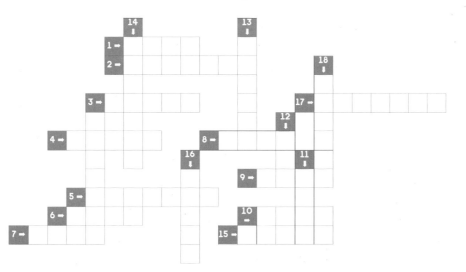

1. No intentes hablar con el jefe hoy porque está de muy mal humor. Ya ves la _____ de pocos amigos que tiene.

2. Su marido es tan egocéntrico que se cree el _____ del mundo.

3. Los dos vecinos tuvieron una discusión tan fuerte que llegaron a las _____.

4. ¡Cuenta, cuenta!, soy todo _____.

5. Su hermano siempre se interesa por lo que no le importa. Le gusta meter las _____ donde no le llaman.

6. Nunca piensa lo que dice ni lo que hace, así que siempre está metiendo la _____.

7. El nuevo proyecto es muy delicado e importante, por eso los jefes nos exigen tanto y hay que andar con_____ de plomo.

8. El mérito no es sólo mío, tenéis que agradecérselo también a Carlos. Hemos trabajado _____ con _____.

9. Olvida lo que te ha dicho Juan. Él no es así, lo que pasa es que siempre habla por _____ de otro.

10. Pedro siempre está de guasa, para él todo es una broma continua. Cada vez que puede nos toma el _____.

11. Su hijo es muy inquieto, no para en ningún sitio. Es un _____ de mal asiento.

12. Ayer por la noche estuve pensando en cómo solucionar la crisis de la empresa y no pegué _____.

13. Siempre nos presta su ayuda, no tiene ningún problema a la hora de arrimar el _____.

14. Su padre es muy sincero. Siempre habla con el _____ en la mano.

15. El coche que se compró para celebrar su ascenso cuesta un _____.

16. Siempre está haciendo tonterías y nunca piensa en las consecuencias de lo que hace ni de lo que dice. No tiene dos _____ de frente.

17. Tienes más cara que _____ , todos los días me toca fregar a mí mientras tú estás sentado viendo la televisión.

18. Le tiramos de la _____ y al final acabó confesándolo todo.

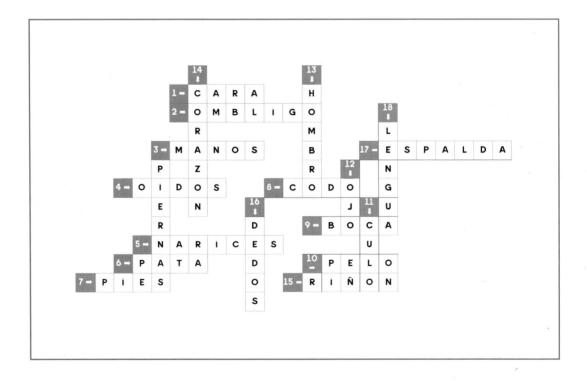

¡SOMOS DE HIERRO!

Destrezas: Expresión oral, expresión escrita.

Objetivo comunicativo: Mostrar acuerdo o desacuerdo.

Objetivo gramatical: Modismos y frases hechas.

Nivel: Intermedio y avanzado.

Material: Fotocopia del crucigrama.

Desarrollo: Se propone a los alumnos que resuelvan, por parejas, un crucigrama con nombres de diversos materiales que entran a formar parte de frases hechas y modismos.

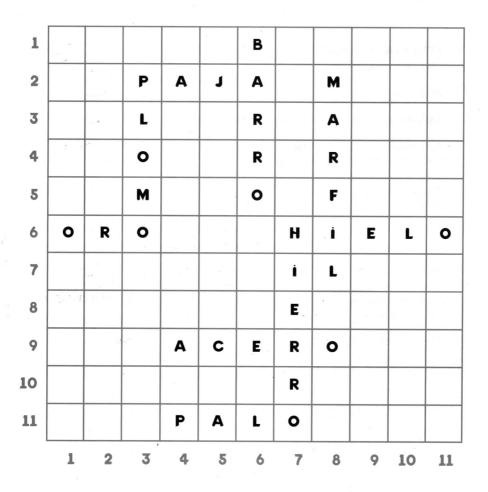

Nota: ¡Ojo! Hay una palabra que aparece dos veces.

1. Él no es el verdadero responsäble, es el hombre de _____ de otro más importante.

2. Nadie confía en ese político, no es creíble, tiene los pies de _____.

3. Es totalmente inexpresivo. Pepe tiene la cara de _____.

4. La situación de la empresa es muy delicada y el jefe está muy nervioso. Si vas a verle tienes que andar con pies de _____.

5. No puede soportar la pobreza en las calles de la ciudad. Siempre intenta ayudar a todo el mundo, tiene un corazón de _____.

6. Luisa tiene la sonrisa de una actriz de cine, con los dientes de _____ como decían los poetas.

7. Nunca se ha puesto enfermo. Tiene una salud de _____.

8. Cada vez que habla todos se callan y se ponen a escucharle. Al finalizar les ha convencido. ¡Tiene un pico de _____ !

9. Miró con esa mirada de _____ y me estremeció.

10. Es muy fuerte, tiene los músculos de _____.

Soluciones: 1. paja; 2. barro; 3. palo; 4. plomo; 5. oro; 6. marfil; 7. hierro; 8. oro; 9. hielo; 10. acero.

ANALOGÍAS

Destrezas: Expresión oral, expresión escrita, comprensión lectora.

Objetivo comunicativo: Solicitar información lingüística.

Objetivo gramatical: Trabajar vocabulario.

Nivel: Elemental e intermedio.

Material: Fotocopias con las analogías.

Desarrollo: Los alumnos, individualmente o por parejas, han de escribir la correspondencia adecuada para cada analogía que proponga el profesor o los otros compañeros.

Los tipos de analogías pueden ser muy variados. Por ejemplo:

- **Continente / contenido:**

  Agua es a _____, como moneda es a _____.
  (botella)   (hucha)

- **Parte / todo:**

  _____ es a hombre, como ala es a _____.
  (Brazo)   (pájaro)

- **Todo / parte:**

  Reloj es a _____, como _____ es a página.
  (aguja)   (libro)

- **Objeto / acción:**

  Cuchara es a _____, como lápiz es a _____.
  (comer)   (escribir)

- **Agente / acción:**

  Profesor es a _____, como _____ es a curar.
  (enseñar)   (médico)

COMPLETA MI DICTADO

Destrezas: Expresión escrita, comprensión auditiva.

Objetivo comunicativo: Dar órdenes o instrucciones.

Objetivo gramatical: Imperativo afirmativo y negativo.

Nivel: Intermedio y avanzado.

Material: Ninguno.

Desarrollo: El profesor dictará un texto que los alumnos copiarán. A veces será un texto normal, como un dictado, pero otras veces no deberán copiar las palabras que les dicta, sino seguir las instrucciones, o ejecutar las órdenes que va diciendo el profesor. Gana el alumno que termina antes.

Se pueden intercalar en un texto normal, órdenes como: *dibuja un triángulo, escribe tu nombre en el margen derecho de la página, escribe la palabra "ornitorrinco" a continuación, di tres cosas que te gustan, señala dos cosas que detestas, ¿te gustan los perros?, dibuja un árbol en la hoja de tu compañero de la derecha, tócate un pie, señala la ventana, ríete, dale la mano al compañero de la izquierda...*

PASO LA FRONTERA CON...

Destrezas: Expresión oral, comprensión auditiva.

Objetivo comunicativo: Mostrar acuerdo o desacuerdo.

Objetivo gramatical: Ampliar vocabulario.

Nivel: Intermedio y avanzado.

Material: Ninguno.

Desarrollo: Una persona sale del aula y los que se quedan dentro se ponen de acuerdo en el modo en que se puede pasar la frontera –con palabras que empiezan por la letra *b*, o con palabras que empiecen por la letra del nombre del compañero de la derecha, con alguna prenda de vestir que lleve el compañero de la izquierda, etc.– Cuando entra el alumno todos se sitúan en círculo y, por turno, toman la palabra y van diciendo cosas con las que pasarían la frontera, por ejemplo, si han acordado que sólo se pasa la frontera con palabras que empiecen por *b*, el jugador que comienza puede decir:

Paso la frontera con unas botas. Y el compañero siguiente puede continuar diciendo: *Yo paso la frontera con un beso.* Y el siguiente: *Yo con un botón...*

Se continúa hasta que el jugador que se ausentó logre adivinar la clave para pasar la frontera.

EL PERFECTO CAMARERO

Destrezas: Expresión oral, expresión escrita, comprensión auditiva.

Objetivo comunicativo: Elegir y ordenar comida y bebida en un restaurante.

Objetivo gramatical: Vocabulario específico de bebidas y comidas.

Nivel: Intermedio.

Material: Ninguno.

Desarrollo: Se trata de jugar a añadir una palabra o una frase a una primera oración. Se dice a los alumnos que están en un restaurante y que deben pedirle al camarero lo que quieren tomar. El primero dice, por ejemplo, *Tráigame un zumo de naranja.* El siguiente alumno repite la frase y añade su comanda. Así sigue sucesivamente hasta un número asequible según el nivel de la clase.

El alumno que hace de camarero debe memorizar el pedido y después escribirlo. Se puede hacer en grupos de ocho alumnos –siete clientes y un camarero–. Después de recordar lo que le han pedido sus compañeros deben ir a la mesa del profesor y repetirlo. Gana el grupo que recite correctamente el pedido y que lo haga más rápido.

EL DOCTOR JECKYLL

Destrezas: Expresión oral, expresión escrita, comprensión lectora, comprensión auditiva.

Objetivo comunicativo: Hablar sobre sentimientos y estados de ánimo.

Objetivo gramatical: Vocabulario de sentimientos y estados de ánimo; Verbos *ser, estar, ponerse.*

Nivel: Intermedio y avanzado.

Material: Fotocopia con dibujos de caras.

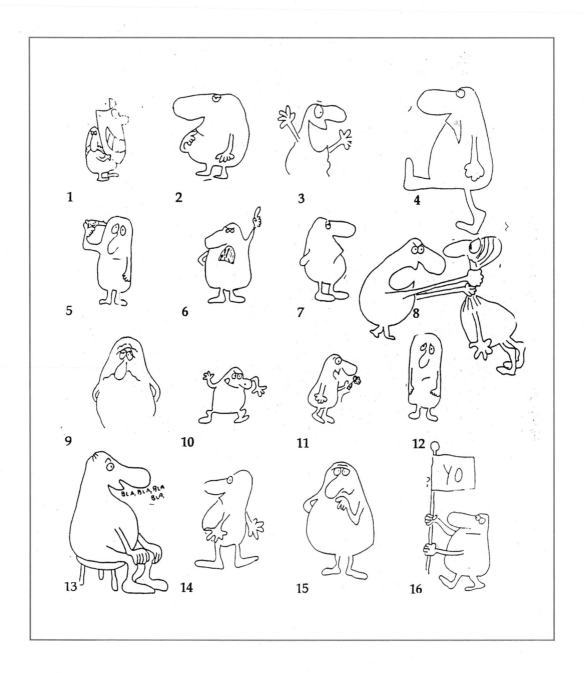

EL MURCIÉLAGO

Destrezas: Expresión oral, expresión escrita.

Objetivo comunicativo: Solicitar información lingüística sobre la ortografía o el significado de alguna palabra.

Objetivo gramatical: Trabajar vocabulario.

Nivel: Intermedio y avanzado.

Material: Ninguno.

Desarrollo: El profesor escribe una palabra en la pizarra (preferentemente larga) y los alumnos en grupos o en parejas deben intentar hacer el mayor número de palabras con las letras de ese vocablo. No es necesario utilizarlas todas.

Por ejemplo: **MURCIÉLAGO**: *lago, murió, ciego, muela, mula, mola, galò, gola, lema...*

VARIANTE:

SUBASTA DE SÍLABAS: Se trata de construir el máximo número de palabras con el mayor número posible de sílabas. El profesor escribe en la pizarra un buen número de sílabas y los alumnos en parejas deben "comprar" todas las que puedan. Después construyen frases y se les asignan puntos.

EL MISTERIO DE LA PIZARRA

Destrezas: Expresión oral, expresión escrita, comprensión lectora.

Objetivo comunicativo: Formular preguntas.

Objetivo gramatical: Oraciones interrogativas; presente de Indicativo.

Nivel: Intermedio y avanzado.

Material: Ninguno.

Desarrollo: Un alumno se sitúa de espaldas a la pizarra, donde el profesor escribe el nombre de algo o de alguien y lo borra cuando los otros alumnos ya lo han visto. El alumno que estaba de espaldas debe adivinarlo haciendo un máximo de diez preguntas a sus compañeros.

DIME, QUE ME OPONGO

Destrezas: Expresión oral, expresión escrita, comprensión auditiva.

Objetivo comunicativo: Relatar una historia en presente o pasado.

Objetivo gramatical: Practicar antónimos; presente de Indicativo; tiempos del pasado; conectores.

Nivel: Intermedio y avanzado.

Material: Ninguno.

Desarrollo: Los alumnos van escribiendo los antónimos de las palabras que el profesor lee en voz alta. Después escribirán un texto utilizando todas las palabras opuestas que han conseguido recordar. Una vez leídos todos los textos en clase, el profesor elegirá el más divertido, el mejor escrito o el más sorprendente.

Por ejemplo: *joven, gordo, simpático, pesimista, triste, juntos, siempre, entrar...*

Sugerencias: En niveles avanzados puede entregarse a los alumnos un texto con algunas palabras en negrita para que, por parejas, intenten encontrar los antónimos. Os proponemos la conocida descripción de *Platero* de Juan Ramón Jiménez:

> "Platero es **pequeño, peludo, suave**; tan **blando** por fuera, que se diría todo de algodón, que no lleva huesos. Sólo los espejos de azabache de sus ojos son **duros** cual dos escarabajos de cristal **negro**.
>
> Lo dejo **suelto**, y se va al prado, y acaricia tibiamente con su hocico, rozándolas apenas. las florecillas rosas, celestes y gualdas... Lo llamo dulcemente: ¿Platero?, y viene a mí con un trotecillo **alegre** que parece que se ríe, en no sé qué cascabeleo ideal...
>
> Es **tierno** y mimoso igual que un niño, que una niña...; pero **fuerte** y **seco** como de piedra. (...)"

(J. R. Jiménez, *Platero y yo*)

LÉXICO: VOCABULARIO, MODISMOS...

1. COMPETENCIA GRAMATICAL

1.3. MORFOSINTAXIS

¡VAYA AFICIONES!

Destrezas: Expresión oral, comprensión auditiva.

Objetivo comunicativo: Hablar de gustos y aficiones.

Objetivo gramatical: Verbos transitivos; infinitivos; estructura de pronombre personal + verbo *gustar* (1ª variante); vocabulario.

Nivel: Intermedio y avanzado.

Material: Ninguno.

Desarrollo: Cada alumno se presenta a los demás siguiendo la fórmula *Mi nombre es ... y mi afición favorita es (verbo + complemento directo)*. La afición ha de comenzar con la misma letra que su nombre. Como se trata de una actividad para improvisar de manera imaginativa puede que el resultado no se corresponda con la realidad y salgan algunas respuestas bastante peculiares.

- Me llamo *Antonio* y mi afición favorita es *amparar animales.*
- Me llamo *Carlos* y mi afición favorita es *comer calamares.*
- Me llamo *María* y mi afición favorita es *morder manzanas.*
- Me llamo *Isabel* y mi afición favorita es *inventar intrigas.*

Sugerencias: Puede hacerse también con personajes históricos o con personajes conocidos por todos los alumnos:

- *Napoleón Bonaparte* ➡ *numerar balones.*
- *Cristóbal Colón* ➡ *certificar cartas.*

VARIANTE:
GUSTOS MISTERIOSOS: Con esta variante que os proponemos se trabaja la estructura **Complemento indirecto + verbo gustar.**

Un alumno actúa como secretario y sale a la pizarra para escribir lo que vaya surgiendo en la actividad. El juego consiste en seguir el orden del alfabeto y construir oraciones que respondan a la estructura.

A x (nombre propio de persona) **le gustan los/las** *(nombre común + adjetivo calificativo)*

La única dificultad es que el nombre y el adjetivo deben comenzar con la misma letra que el nombre propio.

Ejemplos:

- A *Ana* le gustan los *armarios antiguos*
- A *Beatriz* le gustan los *barcos bonitos*
- A *Carlos* le gustan las *camas cómodas...*
- A *Marta* le gustan los *maridos misteriosos*

Pueden permitirse también respuestas un poco surrealistas e imaginativas. Si alguien desconoce el significado de alguna palabra propuesta por un compañero, éste deberá tratar de definírsela utilizando todo tipo de recursos estratégicos para superar cualquier dificultad con la que se encuentre: parafrasear, poner ejemplos contextualizados, etc.

VARIANTE:
¿QUÉ LLEVAS?: Se propone una estructura como

- *George* **lleva** unas *gafas geniales.*
- *Verónica* **lleva** un *vestido verde...*

VARIANTE:
¿VIAJAMOS JUNTOS?: El profesor empieza diciendo *Voy a hacer un viaje a Canadá, ¿qué puedo hacer allí?* Los alumnos van respondiendo por orden o según se le vaya ocurriendo algo a alguien acerca de qué se puede hacer en ese destino –en este caso Canadá–. La única condición es que el verbo y el complemento deben empezar por la misma letra que la ciudad o el país que se ha elegido como destino del viaje.

Ejs:

- Vas a *Canadá* a *comer calamares;* a *cocinar cerdos*; a *comprar camiones*, etc.

Tras una serie de respuestas, se cambia el destino de nuestro viaje:

- Vas a *Madrid* a *mirar mariposas*; a *matricular motocicletas.*
- Vas a *París* a *pintar portales*; a *pedir pendientes*; a *promocionar películas*, etc.

Sugerencias: Si se cree oportuno dejar unos minutos para que los alumnos preparen sus respuestas –individualmente o por parejas– pueden darse todos los destinos de los viajes juntos y conceder un tiempo determinado para que completen la actividad.

En niveles más altos puede ser cada alumno el que proponga un destino determinado a su compañero de la derecha y éste debe contestar lo más rápidamente posible y proponer a su vez un nuevo destino al siguiente jugador.

¡A ORDENAR!

Destrezas: Comprensión lectora, expresión escrita.

Objetivo comunicativo: Expresar acuerdo o desacuerdo con los compañeros.

Objetivo gramatical: Ordenar adecuadamente los elementos de una oración.

Nivel: Elemental, intermedio y avanzado.

Material: Ninguno.

Desarrollo: El profesor escribe en la pizarra una serie de oraciones cuyos componentes están desordenados. Por parejas, los alumnos deben disponerlos en el orden adecuado. Ejemplos:

- **entra cuando el la puerta escapa el ventana por saltando amor por el hambre se**

  Cuando el hambre entra por la puerta, el amor se escapa saltando por la ventana.

- **quien más la no de está parte de verdad grite**

  La verdad no está de parte de quien grite más.

VARIANTE:

CAOS DE REFRANES: Para niveles avanzados podemos recurrir a refranes de uso frecuente escribiéndolos desordenados en la pizarra y, una vez identificado cada uno, abrir un turno de debate para mostrar el acuerdo o el desacuerdo con el mensaje contenido en ellos.

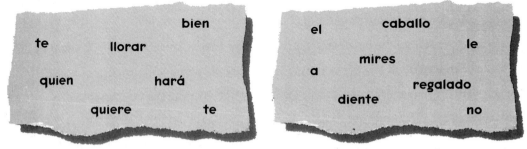

(Quien bien te quiere te hará llorar)   (A caballo regalado no le mires el diente)

- **dos por hombre vale precavido** ➡ Hombre precavido vale por dos.
- **rey en es tierra tuerto de el ciegos** ➡ En tierra de ciegos el tuerto es el rey.
- **una palabra imagen mil que más vale** ➡ Una imagen vale más que mil palabras.

Tú Preguntas, Yo Contesto

Destrezas: Expresión oral, expresión escrita.

Objetivo comunicativo: Expresar una causa o una justificación.

Objetivo gramatical: Oraciones interrogativas, oraciones causales.

Nivel: Intermedio y avanzado.

Material: Ninguno.

Desarrollo: La clase se divide en dos grupos y los alumnos trabajan por parejas. El grupo de la izquierda, por ejemplo, tiene que escribir diez preguntas, cinco que empiecen por *¿Por qué...?* y cinco por *¿Dónde...?* El equipo de la derecha ha de escribir diez respuestas, cinco que empiecen por *Porque* (o por *Es que*) ... y cinco por *En...*

Una vez que todos hayan terminado, el profesor o un alumno cualquiera puede ir escribiendo en la pizarra las preguntas en una columna y las respuestas en otra. Al final, entre todos, pueden buscarse las respuestas más lógicas a cada pregunta, las más divertidas, las más sugerentes, las más provocadoras, etc. Por ejemplo:

- *¿Por qué* no vino ayer a mi cumpleaños?
- *¿Por qué* come tanto chocolate?
- *¿Por qué* llueve tanto aquí?
- *¿Por qué* está enamorada de él?
- *¿Por qué* te enfadaste con tu novio?

- *Porque* no sabe el subjuntivo.
- *Porque* tiene muchos hijos.
- *Porque* me pegó mi compañero de clase.
- *Porque* hace buen tiempo.
- *Porque* está demasiado gordo.

Sugerencias: En vez de escribir los resultados en la pizarra, un grupo propone una pregunta y el otro da una de sus respuestas al azar. Las preguntas del equipo A pueden ser, por ej.:

- *¿Dónde* has guardado los calcetines limpios?
- *¿Dónde* estabas ayer cuando te llamé por teléfono?
- *¿Dónde* viven tus padres?
- *¿Dónde* compras tu ropa?
- *¿Dónde* trabajas?

- *En* la calle de enfrente.
- *En* París.
- *En* el jardín de los vecinos.
- *En* casa de tu novio.
- *En* el autobús.

UN MONTÓN DE PROBLEMAS

Destrezas: Expresión oral, comprensión auditiva.

Objetivo comunicativo: Aconsejar, dar sugerencias o expresar deseos..

Objetivo gramatical: Practicar el uso del Subjuntivo, el condicional o las perífrasis de obligación *tener que* + infinitivo; *deber* + infinitivo.

Nivel: Intermedio y avanzado.

Material: Ninguno.

Desarrollo: El profesor elige a un alumno y lo sitúa de espaldas a la pizarra. La actividad consiste en que el profesor escribirá en el encerado un determinado problema que se supone está "sufriendo" ese compañero. El resto de la clase puede leerlo, pero el directamente implicado no. Los demás alumnos deben ir dándole consejos para que pueda solucionar su situación y el alumno elegido debe intentar descubrir cuál es el problema que ha escrito el profesor. Se repite la actividad con varios alumnos más.

Algunos ejemplos de problemas que se pueden utilizar:

- Se va a divorciar.

- Su novio/a le engaña con otro/a.

- Se va a casar mañana y se le ha manchado el traje.

- Viene a comer su suegra y no sabe cocinar.

- Está en un restaurante y a la hora de pagar se da cuenta de que le han robado la cartera.

- Ha perdido las llaves, son las cuatro de la madrugada y no puede entrar en casa.

El resto de los compañeros puede utilizar expresiones como *Yo te aconsejo / aconsejaría que...; Espero que...; Te recomiendo / recomendaría que...*

Sugerencias: Además de ser una excelente oportunidad para la práctica del Presente y del Imperfecto de subjuntivo, en niveles más bajos puede servir para mejorar el uso del condicional utilizando expresiones como: *Yo que tú,* **buscaría** *ayuda profesional; Yo en tu lugar* **saldría** *a menudo para conocer a mucha gente...* También puede servir en estos niveles para practicar expresiones de obligación como **Tener que + infinitivo** o **Deber + infinitivo.**

¡ACONSÉJAME!: Cada estudiante describe un problema –real o no– que suele tener con frecuencia, por ejemplo: *Siempre olvido mis llaves; no puedo dejar de comer chocolate; nunca me acuerdo de los nombres de la gente que me presentan...* Los demás tratarán de sugerir formas de ayudarles aconsejándoles algo.

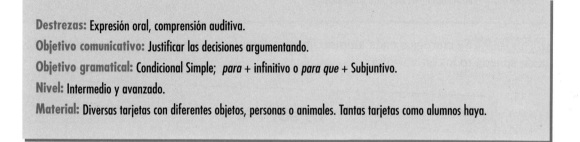

¿Te Lo Llevarías a Casa?

Destrezas: Expresión oral, comprensión auditiva.

Objetivo comunicativo: Justificar las decisiones argumentando.

Objetivo gramatical: Condicional Simple; *para* + infinitivo o *para que* + Subjuntivo.

Nivel: Intermedio y avanzado.

Material: Diversas tarjetas con diferentes objetos, personas o animales. Tantas tarjetas como alumnos haya.

Desarrollo: Se reparte a cada alumno una tarjeta –que sólo puede ver el interesado– con el dibujo o el nombre de un objeto, una persona o un animal. Si la clase es numerosa puede trabajarse por parejas o en pequeños grupos. Todos tienen que responder a estas preguntas:

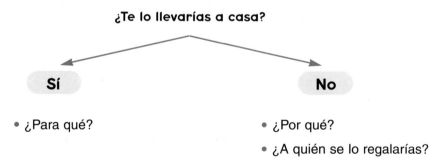

¿Te lo llevarías a casa?

Sí

- ¿Para qué?

No

- ¿Por qué?
- ¿A quién se lo regalarías?

Basándose en las respuestas, el resto de los compañeros tiene que adivinar de qué objeto, persona o animal se trata. Cada jugador debe procurar, por tanto, no ser demasiado directo en sus respuestas. Si no lo adivinan, se pueden dar pistas cada vez más evidentes.

Yo Soy Así

Destrezas: Expresión oral, expresión escrita, comprensión auditiva.

Objetivo comunicativo: Hablar de uno mismo: gustos, aficiones, virtudes, defectos....

Objetivo gramatical: Practicar el Presente de Indicativo; usos de *ser* y *estar;* Subjuntivo en oraciones de relativo y con expresiones de sentimiento: *no soporto que...*

Nivel: Intermedio y avanzado.

Material: Un cuestionario personal para cada alumno.

Desarrollo: Se entrega a cada alumno un cuestionario personal que debe completar. Más tarde se leen todos en voz alta.

YO SOY ASÍ

NOMBRE: _____ **EDAD:** _____ **NACIONALIDAD:** _____

1. Señala tres de tus defectos.
2. Señala tres de tus virtudes.
3. ¿Cuál es tu comida y tu bebida favorita?
4. Señala algo que no soportes.
5. Tus aficiones favoritas son.
6. Cualidades de tu mujer / hombre ideal.
7. ¿Cuál es tu sueño dorado?
8. Cita 5 cosas que te llevarías a una isla desierta.
9. ¿Cómo te gustaría que fuese esta clase de lengua?
   ¿Qué te gustaría aprender?
   ¿Qué necesitas practicar más en español?

Sugerencias: Es una actividad muy apropiada para los primeros días de clase. Creemos que ninguna de las preguntas es lo suficientemente "íntima" como para que algún alumno se sienta incómodo. No obstante, conviene recordarles que el objetivo es que el grupo se conozca un poco más y que no es obligatorio contestar, aunque hasta el momento nadie se ha negado a ello. ¡Todos muestran mucho interés en conocer las virtudes y los defectos de sus compañeros!

La última pregunta sirve de sondeo para realizar un análisis de las necesidades y los intereses de la clase. De este modo el profesor puede incluir en su programación algún tema que no había previsto pero que resulta mayoritariamente solicitado.

VARIANTE:
YO SERÍA ASÍ (SI PUDIERA): Se trata de que los alumnos reflexionen sobre lo que podría ser su retrato ideal. Si pudiera cambiar algo...

- *¿Qué cambiaría de su aspecto físico?*
- *¿Qué tres cualidades le gustaría tener?*
- *¿Qué tres defectos no le importaría tener?*

¿IGUALES O DIFERENTES?

Destrezas: Expresión oral, comprensión auditiva.

Objetivo comunicativo: Describir objetos.

Objetivo gramatical: Posesivos; demostrativos; verbos *ser* y *estar*.

Nivel: Elemental e intermedio.

Material: Fotocopias de tiras de dibujos A y B.

Desarrollo: Los alumnos se distribuyen por parejas. A un jugador de cada pareja se le da una tira de papel –la A– con diez dibujos y a su compañero otra –la B–. Ambas tiras presentan algunos grabados idénticos y otros con algunas diferencias. Se trata de que por turnos, y sin ver el papel del compañero, cada jugador describa minuciosamente su dibujo y decidan en cada caso si es igual o es diferente y lo señalen (= o ≠). Al final de la actividad comprueban si sus descripciones han sido precisas comparando las dos tiras.

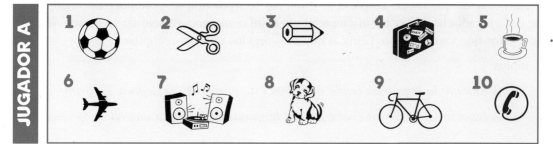

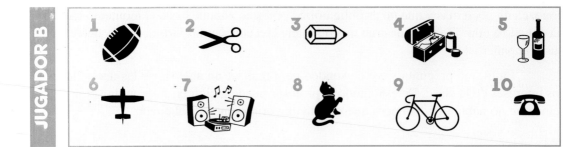

REGALOS DE FAMILIA

Destrezas: Expresión oral, comprensión lectora, comprensión auditiva.

Objetivo comunicativo: Hablar de gustos de otras personas; expresar causa.

Objetivo gramatical: Verbo *gustar;* oraciones causales.

Nivel: Elemental e intermedio.

Material: Fichas variadas con la descripción de miembros de una familia. Tarjetas con nombres de posibles regalos o con dibujos.

Desarrollo: Dependiendo del número, se distribuye a los alumnos por pequeños equipos, en parejas o individualmente. Hay dos grupos de tarjetas: uno con descripciones de miembros de una familia y otro con nombres o dibujos de regalos. Cada grupo coge la tarjeta de un miembro de la familia al que tendrá que hacer un regalo por su cumpleaños. En el centro están juntas todas las tarjetas de los regalos mirando hacia arriba. Cada equipo debe explicar por qué le haría ese regalo en concreto, justificando adecuadamente su decisión. Si todos están de acuerdo con la respuesta, se queda con la tarjeta del regalo.

Hay varios *regalos sorpresa* que funcionan como comodines, es decir, pueden servir para cualquier miembro de la familia. La única regla que debe cumplirse es que hay que decir en cada caso de qué regalo sorpresa se trata. No se sigue ningún orden determinado, sino que cada jugador ha de ser lo suficientemente hábil como para relacionar su personaje con los regalos que van saliendo. Gana el que más regalos consiga recopilar.

Ejemplos:

- *A Antonio le regalo un balón de baloncesto porque es su deporte favorito.*

- *A Ignacio le regalo un coche porque le gusta mucho jugar con ellos.*

Algunos ejemplos de tarjetas para los regalos y algunas ideas para las tarjetas de los miembros de la familia:

Nombre: Luis   **Edad:** 66 años

Profesión: Profesor de literatura jubilado.

Carácter: Tranquilo, perfeccionista, no le gustan los ruidos ni los perros.

Aficiones: La lectura y la buena comida.

Nombre: Carmen   **Edad:** 60 años

Profesión: Ama de casa.

Carácter: Alegre, hogareña, prudente, romántica y golosa.

Aficiones: Cocinar, las flores y los bombones de chocolate.

Nombre: Antonio   **Edad:** 36 años

Profesión: Profesor de Educación Física.

Carácter: Emprendedor, dinámico, simpático y paciente.

Aficiones: El deporte, la montaña y viajar.

Nombre: Francisco **Edad:** 38 años

Profesión: Electricista.

Carácter: Generoso, prudente, franco y bastante terco.

Aficiones: La música, la pesca, el bricolaje y los dulces.

Nombre: Ignacio   **Edad:** 14 meses

Carácter: Abierto, simpático, bullicioso y risueño.

Aficiones: Los perros, los coches y despertar a sus padres por la noche.

Nombre: Isabel   **Edad:** 35 años

Profesión: Profesora de Lengua.

Carácter: Paciente, dormilona, irónica y desordenada.

Aficiones: Leer, pintar, viajar y jugar con su hijo Ignacio.

¡A SUS ÓRDENES!

Destrezas: Expresión oral, comprensión lectora, comprensión auditiva.

Objetivo comunicativo: Ordenar algo a alguien.

Objetivo gramatical: Practicar el imperativo afirmativo y negativo.

Nivel: Intermedio y avanzado.

Material: Tarjetas numeradas con varias órdenes escritas. Papelitos con números.

Desarrollo: Necesitamos tarjetas en las que figure escrita una orden. Se hacen tantos papelitos con números como tarjetas haya y se mezclan en una caja. Cada alumno, por orden, debe sacar un número y buscar en el mazo de tarjetas colocadas boca abajo la que le corresponda realizar. Según el nivel lingüístico de los alumnos las órdenes pueden ser fáciles o más complicadas.

Sugerencias: Pueden aparecer mezcladas con las órdenes individuales otras para toda la clase. Las tarjetas también pueden estar colocadas a la vista de manera que todos puedan leerlas y se pregunten cuál le tocará a cada uno.

CÓCTEL DE HUMOR

Destrezas: Expresión oral, expresión escrita, comprensión lectora, comprensión auditiva.

Objetivo comunicativo: Mostrar acuerdo o desacuerdo.

Objetivo gramatical: Practicar el orden de los elementos en la oración.

Nivel: Elemental e intermedio.

Material: Treinta y dos tarjetas de colores diferentes según la categoría gramatical de la palabra que figure en ellas.

Desarrollo: Se necesitan treinta y dos tarjetas divididas en cuatro grupos de ocho tarjetas cada uno. Las que forman cada grupo deben ser del mismo color. Los grupos corresponden al Sujeto, Verbo, Complemento Directo y Complemento Circunstancial de una oración. Cada pareja elige una tarjeta de cada grupo y entre los dos intentan componer la oración más humorística.

¿QUÉ HARÍAS TÚ SI ESO SUCEDIERA?

Destrezas: Expresión oral, comprensión auditiva.

Objetivo comunicativo: Formular hipótesis posibles o imposibles.

Objetivo gramatical: Practicar el condicional de probabilidad.

Nivel: Intermedio y avanzado.

Material: Ninguno.

Desarrollo: Un alumno sale del aula durante unos minutos. El resto de la clase piensa en una situación posible o imposible. Cuando todos están de acuerdo se hace entrar al que está afuera. Debe ir preguntando a distintos compañeros *¿Qué harías tú si ESO sucediera?* o bien *¿Qué habrías hecho tú si ESO hubiera sucedido?* Según las contestaciones del grupo deberá deducir cuál es la situación que se había imaginado.

Sugerencias: Antes de decidirse por una situación determinada da buen resultado hacer una lluvia de ideas y elegir la más sugerente o la más productiva. El profesor puede tener preparadas algunas situaciones por si a los alumnos no se les ocurre ninguna demasiado motivadora –cosa que casi nunca ocurre–.

Debe recordarse a los alumnos que al principio no sean demasiado directos en sus respuestas, sólo si se ve que el compañero está muy despistado puede orientársele debidamente. La actividad puede repetirse dos veces y la segunda puede ser el profesor el que se ausente.

VARIANTE:

RESPÓNDEME: El profesor o los propios alumnos escriben en un papel preguntas como *¿Qué pasaría si el fin de semana durara cinco días?* o *¿Qué pasaría si se tuviera derecho al voto desde los siete años? ¿Qué harías tú si recibieses una carta de amor de un desconocido? ¿Qué harías si de repente cambiaras de sexo?* Se reúnen todas las preguntas y se mezclan. Cada alumno coge una, la lee en voz alta, elige un compañero para que la conteste o puede contestarla él mismo.

LA HIPÓTESIS FANTÁSTICA

Destrezas: Expresión oral, expresión escrita, comprensión lectora, comprensión auditiva.

Objetivo comunicativo: Formular hipótesis; expresar una condición hipotética o poco probable.

Objetivo gramatical: Practicar las oraciones condicionales.

Nivel: Intermedio y avanzado.

Material: Ninguno.

Desarrollo: Se forman dos equipos. Cada miembro del equipo A escribe una frase completa que comience por *¿Qué habrías hecho tú si ...?* Por ejemplo, *¿Qué habrías hecho tú si el Papa te hubiese invitado al Vaticano?; ¿Qué habrías hecho tú si tu mujer / marido te hubiera abandonado?...*

Cada jugador del equipo B escribe una frase cualquiera que contenga un condicional compuesto conjugado en primera persona. Por ejemplo, *Habría estornudado toda la noche; habría organizado una gran fiesta para celebrarlo; habría ido a la peluquería para cortarme el pelo...*

Se meten todas las preguntas en una caja y todas las respuestas en otra, se mezclan y cada jugador saca –al azar– primero una frase del equipo A y después otra del equipo B. Las lee en alto para comprobar qué combinaciones han resultado.

Sugerencias: Lógicamente la actividad puede hacerse practicando el primer tipo de período hipotético.

Por ej.:

- Equipo A. *¿Qué harías tú si tuvieras sólo una semana de vida?; ¿Qué harías si descubrieras que tu mejor amigo es un ladrón, etc.*

- Equipo B. *Lloraría durante horas; Me pondría a régimen para adelgazar; Entraría en una orden religiosa...*

SI FUERAS... ¿QUÉ SERÍAS?

Destrezas: Expresión oral, expresión escrita.

Objetivo comunicativo: Hablar de uno mismo, personalidad, carácter....

Objetivo gramatical: Practicar el Subjuntivo y el Condicional.

Nivel: Intermedio y avanzado.

Material: Fichas.

Desarrollo: Se reparten fichas a los alumnos donde se les pregunta *Si fueras... ¿Qué o cómo serías?* Deben pensar y escribirlo en otra ficha. Se mezclan todas las que hayan escrito y se reparten a la clase. Cada alumno debe intentar adivinar a quién pertenece la ficha deduciéndolo de la respuesta anotada. Se puede preguntar, por ejemplo:

• Si fueras un animal.	• Si fueras un color.
• Si fueras otra persona.	• Si fueras un lugar.
• Si fueras alguien famoso.	• Si fueras un trabajo.
• Si fueras música.	• Si fueras una época histórica.
• Si fueras un objeto de la casa.	• Si fueras un viaje.
• Si fueras una habitación.	• Si fueras una ventana.

CADA OVEJA CON SU PAREJA

Destrezas: Expresión oral, expresión escrita, comprensión lectora, comprensión auditiva.

Objetivo comunicativo: Mostrar acuerdo o desacuerdo; defender una opinión.

Objetivo gramatical: Período hipotético.

Nivel: Intermedio y avanzado.

Material: Fotocopias de frases célebres.

Desarrollo: Se da a los alumnos un listado de frases célebres –todas ellas con la estructura de períodos hipotéticos– divididas en dos columnas. Tendrán que unir el comienzo con el final correspondiente. Después se reflexiona sobre ellas.

1. Si no hubiera malas gentes

2. Si el hombre no fuera un animal que se aburre

3. Si la pobreza entra por la puerta

4. Si lees la biografía de alguien importante

5. Si después de haber vestido al desnudo le echas en cara tu favor

6. Si quieres vivir bien para ti

7. Si una persona te llama burro

8. Si no existiera Dios

9. Si puedo preservar mi buen nombre

10. Si no quieres que lo sepan todos

11. Si una persona se muestra condescendiente y cortés con un extranjero

12. Si los políticos y los científicos fueran un poco más vagos

a. no confíes tu secreto a nadie. *(Cátulo)*

b. debes vivir para los demás. *(Séneca)*

c. no habría buenos abogados. *(Dickens)*

d. seré suficientemente rico. *(Plauto)*

e. tendríamos que inventarlo. *(Voltaire)*

f. jamás hubiera recurrido al placer de trabajar. *(Anónimo)*

g. el amor se escapa saltando por la ventana. *(Fuller)*

h. es lo mismo que si lo desnudas de nuevo. *(Filemón)*

i. demuestra que es un ciudadano del mundo. *(Bacon)*

j. ¡cuánto más felices seríamos todos! *(Evelyn Waugh)*

k. ten presente que la verdad nunca es publicable. *(G.B. Shaw)*

l. no te preocupes; pero si son diez las que te lo llaman, mejor será que vayas comprándote una albarda. *(Anónimo)*

Soluciones: 1-c; 2-f; 3-g; 4-k; 5-h; 6-b; 7-l; 8-e; 9-d; 10-a; 11-i; 12-j

¿QUÉ PASARÍA SI...?

Destrezas: Expresión oral, expresión escrita, comprensión lectora, comprensión auditiva.

Objetivo comunicativo: Formular hipótesis.

Objetivo gramatical: El Condicional; Imperfecto de Subjuntivo.

Nivel: Intermedio y avanzado.

Material: Fichas con las frases.

Desarrollo: Se trata de contestar a preguntas absurdas que plantean situaciones inverosímiles..., como *¿Qué pasaría si...?*

- Las vacas volasen.
- En España hablásemos inglés.
- Los alumnos tuvieran que limpiar el aula después de la clase.
- Hiciera sol todos los días.
- Los pájaros no volaran.
- No existiera el dinero.
- Los niños gobernaran el mundo.
- Los perros hablaran.
- Comiéramos piedras.
- Los coches funcionaran con agua.
- Fuéramos invisibles.

Estas frases se escriben en fichas que el profesor reparte entre los alumnos. Se puede realizar de dos maneras: bien cada alumno contesta a la pregunta de su ficha (en grupo o individualmente), bien escoge a una persona de la clase y le hace la pregunta. Tras contestarla hace a otro compañero la pregunta que tiene en su ficha y así sucesivamente.

GREGUERÍAS

Destrezas: Expresión oral, expresión escrita, comprensión lectora, comprensión auditiva.

Objetivo comunicativo: Abierto.

Objetivo gramatical: Presente de Indicativo; ampliar vocabulario.

Nivel: Intermedio y avanzado.

Material: Fotocopia de algunas *greguerías* de Gómez de la Serna.

Desarrollo: Tratando de imitar al inimitable Ramón Gómez de la Serna, los alumnos –en pequeños grupos o por parejas– deberán crear una serie de *greguerías,* ese tipo especial de imágenes que él mismo define como *metáfora + humor.* Se les recuerda que estos pequeños poemas en prosa pueden surgir de la observación corriente de un detalle universal y que cada greguería supone un reto a la imaginación para que ésta encuentre esa asociación inusitada que permite romper la barrera que impone la realidad.

Se puede ayudar a los alumnos proponiéndoles que construyan greguerías sobre: *tenedor, radio, linterna, L, M...*

Con objeto de estimularles en el proceso creativo se leerán antes algunos ejemplos de G. de la Serna:

- Si te conoces demasiado a ti mismo dejarás de saludarte.
- La X es la silla tijera del alfabeto.
- La T está pidiendo hilos de telégrafo.
- La cabeza es la pecera de las ideas.
- El día en que se encuentre un beso fósil se sabrá si el amor existió en la época cuaternaria.
- La Y griega mayúscula es la copa de champaña del alfabeto.
- Cuando en el árbol no queda más que una hoja parece que le cuelgue la etiqueta de su precio.
- La B es el ama de cría del alfabeto.
- Los tubos fluorescentes padecen de epilepsia.
- La magia se ha perdido. Ya hay zapatos de cristal para todos los pies.
- Los recuerdos encogen como las camisetas.
- El café con leche es una bebida mulata.
- El calzador es la cuchara de los zapatos.

MORFOSINTAXIS

- Bar pobre: una aceituna y muchos palillos.
- Era tan mal guitarrista que se le escapó la guitarra con otro.
- Raja de sandía: luna de sangre.
- "¡Qué sábana más dura!" (Era su losa).

Para nivel intermedio os proponemos dos variantes más sencillas:

VARIANTE:

ODIOSAS COMPARACIONES: Los alumnos, en parejas o en grupos pequeños –no más de cuatro– intentarán imitar las imágenes de las greguerías completando esta lista:

Sonríe como...	Los españoles son como...	Cocina como...
Corre como...	Habla como...	Come como...
El mar es como...	Besa como...	Habla español como...

VARIANTE:

TANTANES: Se trata de buscar finales metafóricos y humorísticos a estructuras como: *Era tan* alto-gordo-tonto-pelota-gracioso-triste-violento-pesimista... *que*

TORMENTA DE IDEAS

Destrezas: Expresión oral, expresión escrita, comprensión lectora, comprensión auditiva.

Objetivo comunicativo: Mostrar acuerdo o desacuerdo, proponer soluciones, hacer sugerencias.

Objetivo gramatical: Condicional simple; Construcciones finales de *para* + Infinitivo y *para* + Subjuntivo.

Nivel: Intermedio y avanzado.

Material: Ninguno.

Desarrollo: Es una técnica muy conocida y frecuentemente utilizada en la fase inicial de muchas actividades, pero aquí la hemos utilizado no como preámbulo sino como meta en sí misma.

La clase se divide en grupos y cada uno de ellos recibe la misma tarea, por ejemplo:

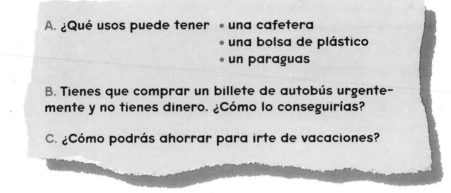

A. ¿Qué usos puede tener
- una cafetera
- una bolsa de plástico
- un paraguas

B. Tienes que comprar un billete de autobús urgentemente y no tienes dinero. ¿Cómo lo conseguirías?

C. ¿Cómo podrás ahorrar para irte de vacaciones?

Un secretario de cada grupo va escribiendo las respuestas –rápidas– que dan los miembros de su equipo y más tarde se realiza la puesta en común con las propuestas de todos. Tras una etapa de discusión, se eligen tres ideas de la lista completa (por ejemplo, la más arriesgada, la más lógica, las más graciosa, la más práctica, la más original...).

A LA CAZA DEL TESORO

Destrezas: Expresión oral, expresión escrita, comprensión lectora, comprensión auditiva.

Objetivo comunicativo: Ubicar objetos; describir.

Objetivo gramatical: Pretérito Perfecto de Indicativo.

Nivel: Intermedio y avanzado.

Material: Diverso objetos pequeños numerados.

Desarrollo: Se esconden distintos objetos pequeños numerados. Cada uno lleva una pista que conduce al gran tesoro. Para hacerlo un poco más difícil, las pistas pueden estar en frases cuyas palabras estén desordenadas, o ser pequeños acertijos (*Tengo brazos y tengo cara pero no tengo cuerpo. Busca cerca de mí* –**reloj**–).

Sugerencias: Otra versión puede ser que se dé a los jugadores una lista con pistas de dónde pueden estar escondidos algunos objetos. Una vez encontrados, los jugadores tienen que escribir las frases completas y detalladas de qué encontraron y dónde. Por ejemplo:

- He encontrado un pañuelo de papel en el tercer estante del armario, detrás de un pequeño libro de historia.
- He encontrado el reloj de la profesora en el bolsillo izquierdo del abrigo gris oscuro que está cerca de la ventana.

¡QUÉ DISPARATES!

Destrezas: Expresión oral, expresión escrita, comprensión lectora, comprensión auditiva.

Objetivo comunicativo: Formular preguntas y contestar.

Objetivo gramatical: Construcciones finales con *para* + infinitivo o *para* + Presente de subjuntivo; oraciones interrogativas.

Nivel: Intermedio y avanzado.

Material: Ninguno.

Desarrollo: Los participantes se colocan en círculo y deben preguntarse y contestarse al oído. Empieza uno al azar preguntándole a su compañero de la derecha:*¿Para qué sirve... un paraguas?*, por ejemplo. El de la derecha le contesta y después hace una pregunta parecida, pero con otro objeto, al siguiente compañero. Así sucesivamente hasta que se cierra el círculo. Cuando toda la clase ha preguntado y contestado, el profesor les dice que comenten lo que se han dicho pero combinando las preguntas y las respuestas: deben decir lo que les preguntó su compañero DE LA IZQUIERDA y lo que le contestó su compañero DE LA DERECHA. Si se cree conveniente pueden apuntar en un papel las preguntas y las respuestas. Ejemplo:

    Alumno 1ª: *(Pregunta a su compañero)*¿Para qué sirve un paraguas?
    Alumno 2º: *(Responde)* Para no mojarte cuando llueve.
                (Hace otra pregunta al compañero siguiente): ¿Para qué sirve un bolígrafo?
    Alumno 3º: *(Responde al alumno 2º)*: Para escribir cartas de amor

Y se continúa con la misma técnica hasta que todos hayan preguntado y respondido. Al final cada estudiante dirá en voz alta la pregunta que le ha hecho su compañero de la izquierda y qué le ha contestado su compañero de la derecha. En este caso sería:

- Ella me ha preguntado para qué sirve un paraguas y él me ha respondido que para escribir cartas de amor.

CIELOS E INFIERNOS

Destrezas: Expresión oral, expresión escrita, comprensión auditiva.

Objetivo comunicativo: Dar razones/ preguntar por razones; defender opiniones personales; mostrar acuerdo o desacuerdo; hacer descripciones.

Objetivo gramatical: Presente de indicativo.

Nivel: Intermedio y avanzado.

Material: Ninguno.

Desarrollo: Se pide a los alumnos que escriban en una hoja cinco definiciones de cielo y en otra, cinco de infierno. Se juntan todas y se van leyendo en alto. El que haya escrito cada una puede explicar por qué piensa así o permanecer en el anonimato. Éstas son algunas definiciones de *cielo* que nos han salido alguna vez:

- La lengua española sin subjuntivo ni verbos irregulares.
- Unos grandes almacenes donde todo sea gratis.
- Estar casado con Claudia Schiffer.
- Un mundo sin fútbol.

Y éstas, algunas de infierno:

- Tener sextillizos y que lloren todos a la vez a las cuatro de la mañana.
- Un restaurante con sabrosos platos que tú no puedes comer porque estás a dieta.
- Una semana sin sábados ni domingos.

Sugerencias: Si lo alumnos se conocen bastante bien, cada vez que se lee una definición se puede intentar adivinar quién la ha escrito.

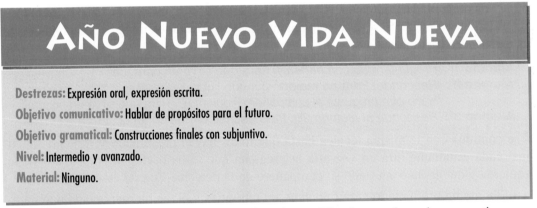

AÑO NUEVO VIDA NUEVA

Destrezas: Expresión oral, expresión escrita.

Objetivo comunicativo: Hablar de propósitos para el futuro.

Objetivo gramatical: Construcciones finales con subjuntivo.

Nivel: Intermedio y avanzado.

Material: Ninguno.

Desarrollo: Se hacen equipos de cuatro jugadores. El primero de cada grupo tiene un folio en blanco y deberá empezar poniendo

> Yo *(nombre del jugador)* me he decidido a

Y debe pasar el papel a su compañero de la derecha. Éste continuará escribiendo una resolución de Año Nuevo. Dobla el papel de tal manera que no pueda leerse lo que ha escrito y se lo pasa al tercer jugador, que deberá poner *para que + (nombre de alguien)*, doblar el papel y pasarlo al último compañero que habrá de completar la oración final. Una vez acabada la ronda se da lectura al texto completo. El esquema de la actividad sería:

1. Yo, *(nombre del jugador),* me he decidido a
2. *(resolución de Año Nuevo)*
3. para que *(nombre de alguien conocido)*
4. *(se completa la oración final)*

CAMINO DE LOS TILOS

Destrezas: Expresión oral, expresión escrita, comprensión lectora, comprensión auditiva.

Objetivo comunicativo: Mostrar acuerdo o desacuerdo; discutir si algo es correcto o incorrecto.

Objetivo gramatical: Presentes de Indicativo regulares e irregulares.

Nivel: Intermedio y avanzado.

Material: Tiras de información recortadas sobre los propietarios de las cinco casas.

Desarrollo: En el *Camino de los tilos* hay cinco casas y cada una de ellas pertenece a un propietario. Los estudiantes forman pequeños grupos –por ejemplo de cinco– y cada miembro del equipo recibe un tipo de información distinta de la de los demás. Tienen que ordenarla y completar el siguiente esquema situando en cada casilla los datos que correspondan:

12	14	16	18	20

En cada una de las cinco filas se colocarán –de arriba abajo– los siguientes datos:

- Nombre
- Estado civil
- Animales de compañía
- Afición
- Bebida preferida

La información que se tendrá que distribuir a los alumnos es la siguiente:

- La Srta. Martín tiene un perro
- La mujer que vive en el número 12 tiene dos mascotas: una tortuga y un hámster
- El dueño del perro bebe cerveza
- La Sra. Pérez está casada
- El Sr. García es viudo y su vecina está divorciada
- A la mujer casada le apasiona la jardinería
- La mujer a quien le gusta el agua no tiene ningún animal de compañía
- El número 18 es la única casa sin mascota
- Hay cinco mascotas en el Camino de los tilos: una tortuga, un hámster, un gato, un perro y un canario
- Al soltero le gusta viajar y leer novelas históricas
- Al Sr. García no le gusta leer, prefiere ver la televisión y jugar a las cartas
- Al viudo y a la dueña del perro les gusta la cerveza
- A la Sra. Vázquez le gusta hacer deporte
- La persona a la que le gusta el whisky tiene un canario
- La dueña del perro, que vive al lado del soltero, es una apasionada de las novelas románticas
- El Sr. Rodríguez vive entre la Srta. Martín y la Sra. Vázquez
- A la mujer casada le gusta el vino tinto
- El animal de compañía del número 14 es un perro
- El Sr. García vive en el número 20

Sugerencias: Como se puede observar, el número total de informaciones es de veinte, por lo que si los equipos son de cinco componentes, cada uno deberá tener cuatro tiras con información. El profesor habrá de poner especial cuidado a la hora de repartir esa información para que cada equipo, en conjunto, posea los datos completos. Para ello, sugerimos hacer tantas copias como equipos haya de la hoja de información completa. Después se recorta cada dato y se reparten cuatro a cada jugador.

Nota: Esta actividad está inspirada en "Baker Street", recogida en *Keep talking. Communicative fluency activities for language teaching* de Friederike Klippel, Cambridge University Press, 1984.

Soluciones:
12. Sra. Pérez / casada / tortuga y hámster / jardinería / vino tinto.
14. Srta. Martín / soltera / perro / novelas románticas / cerveza.
16. Sr. Rodríguez / soltero / canario / viajar y novelas históricas / whisky.
18. Sra. Vázquez / divorciada / sin animal de compañía / deporte / agua.
20. Sr. García / viudo / gato / ver la tele y jugar a las cartas / cerveza.

¡VAMOS A CONTAR MENTIRAS!

Destrezas: Expresión oral, expresión escrita, comprensión lectora, comprensión auditiva.

Objetivo comunicativo: Mostrar desacuerdo.

Objetivo gramatical: Antónimos y vocabulario general; Presente de Indicativo.

Nivel: Elemental, intermedio y avanzado.

Material: Listado de frases.

Desarrollo: Se forman dos equipos. El profesor o un alumno, por turnos, se inventa una frase sencilla pero con una palabra equivocada. Un miembro de cada grupo tendrá que corregir adecuadamente esa frase sin sentido.

Por ejemplo:

Los plátanos son azules; Los coches funcionan con agua; Las gallinas viven en apartamentos; Los pentágonos tienen ocho lados; Las vacas asturianas producen café cortado; Tenemos siete dedos en cada mano; La capital de Italia es Florencia; Sevilla se escribe con "b" y con "y" griega; El subjuntivo es un tiempo verbal muy difícil; El agua se congela a los 100 º C; Las bicicletas tienen dos volantes; Los frenos de un coche sirven para acelerar; Eva convenció a Adán para que se comiera un melocotón...

VARIANTE:

AHORA QUE VAMOS DESPACIO...: El profesor da a los alumnos
textos en los que hay disparates. Primero, por parejas o en pequeños grupos, tendrán que corregirlos y después escribir un texto también disparatado. Proponemos dos modelos muy conocidos popularmente:

Ahora que vamos despacio, vamos a contar mentiras, tralará...
Por el mar corren las liebres, por el monte las sardinas, tralará...
Salí de mi campamento con hambre de seis semanas, tralará...
Me encontré con un ciruelo cargadito de manzanas, tralará...
Empecé a tirarle piedras y caían avellanas, tralará...
Salió el amo del peral: ¡Eh, niños, no tiréis piedras, que no es mío el melonar!, tralará...

A la orilla de un hombre
estaba sentado un río
afilando su caballo
y dándole agua a su cuchillo.

Era una noche de invierno
cuando más brillaba el sol,
y una manada de cerdos
volaba de flor en flor.

A la luz de un farol apagado
un mudo leía,
un sordo escuchaba,
un ciego miraba
y a un calvo que había
los pelos de punta se le ponían.

LA LETRA ÚNICA

Destrezas: Expresión oral, expresión escrita, comprensión auditiva.

Objetivo comunicativo: Mostrar acuerdo o desacuerdo.

Objetivo gramatical: Corrección sintáctica.

Nivel: Intermedio y avanzado.

Material: Ninguno.

Desarrollo: Los alumnos, por parejas, han de componer una oración cuyas palabras empiecen todas por la misma letra. Por ejemplo:

Mi madre me mandó merendar muchas manzanas.

Su sexto sobrino siempre sueña ser soltero.

VARIANTE:

¡ANÚNCIATE!: Con la misma técnica que en la actividad anterior, los alumnos deberán inventar un anuncio por palabras. Ejemplos:

- Carmen Casal Contreras, contaría cien cuentos cortos con cariño.
- Ignacio Iglesias, ingenioso ingeniero industrial, inventa instrumentos interesantes.
- Paco Pérez Pereira, pobre pintor portugués, pinta pacientemente puertas pequeñas por pocas pesetas.

Cada alumno puede también tratar de inventar un anuncio sobre sí mismo, intentando "venderse" lo mejor posible.

Carrera de Relevos

Destrezas: Expresión escrita, comprensión lectora.

Objetivo comunicativo: Mostrar acuerdo o desacuerdo.

Objetivo gramatical: Orden de los elementos en la oración.

Nivel: Intermedio y avanzado.

Material: Ninguno.

Desarrollo: Los alumnos se distribuyen por equipos. El profesor escribe una oración breve en la pizarra. El primer jugador de cada grupo intercala una palabra en esa frase y da la tiza al siguiente, que tendrá que escribir otra antes o después de la anterior y así sucesivamente hasta que todos los integrantes de cada equipo hayan escrito su palabra. El resultado, claro está, debe ser gramaticalmente correcto.

Acrósticos

Destrezas: Expresión oral, expresión escrita, comprensión auditiva.

Objetivo comunicativo: Informar sobre las características de un producto o entidad.

Objetivo gramatical: Vocabulario agrupado por campos semánticos; Presente de Indicativo (en las variantes propuestas).

Nivel: Intermedio y avanzado.

Material: Ninguno.

Desarrollo: Se leen los acrósticos que sirven de orientación con su significado verdadero y con el popular:

- **RENFE:** Re d N acional de Fe rrocarriles.
  R ogamos e mpujen n uestros f errocarriles e stropeados.

- **SEAT:** S ociedad E spañola de A ut omoción.
  S ólo E spaña a dmite t rastos.

Después, en parejas o en pequeños grupos, los alumnos habrán de inventar algún producto, asociación, fundación, movimiento social, partido político o empresa e intentarán hacer una campaña publicitaria para informar al resto de sus compañeros sobre el tipo de producto o empresa que promocionan.

- **LIBRO:** Liberación Integral de Burros Revolucionarios de Oviedo.

- **PACO, NENA, MISA, CARA, REJA, MAPA...**

Sugerencias: La actividad puede hacerse con siglas reales en español (ONU, OTAN...) Después de conocer su significado deben inventar otros sentidos. Por ejemplo:

- **ONU:** Organización de Noctámbulos Urbanos.
- **OTAN:** Organización de Toreros Alemanes Novatos.

VARIANTE:

LA PALABRA MISTERIOSA: Con un texto base como el que proponemos
u otro que se invente el profesor, se anima a los alumnos a construir un poema en grupos de cuatro o cinco personas en el que se pueda leer con la primera letra de cada verso un mensaje oculto o la misma frase para todos. Como ejemplo puede utilizarse el anuncio del licor escocés *Drambuie*:

Demi aprecia su toque suave

Robert su toque seco

A Sharon le gusta con hielo picado

Michael, por instinto, lo prefiere sin hielo

Bruce opina que los whiskies añejos

Unidos a la miel le dan un sabor

Incomparable, único, distinto

Es la personalidad de Drambuie

VARIANTE:

ORACIONES OCULTAS: A partir de una serie de palabras dadas por el profesor o por los propios alumnos hay que construir oraciones tomando como inicial de cada palabra la letra correspondiente del término propuesto. Aunque la actividad puede hacerse individualmente es mucho más rica y atractiva por parejas porque el "peso" de la improvisación y de la creatividad recae sobre dos. Además, de este modo se potencia la interacción entre ambos compañeros hasta llegar a un acuerdo. Al final se leen todas en voz alta y se elige la más original, la más divertida, la más macabra, la más eufónica, la más difícil, etc.

- **PERA:** *Pedro era rico antes.*
- **COSA:** *Carmen olvida sus anillos.*
- **LOCAL:** *Laura ofrece caramelos a Lucía.*
- **MISA:** *Me interesa su amistad.*
- **ARMA:** *Ana roba manzanas amarillas.*
- **PELO:** *Pedro esconde los ordenadores.*
- **PODER:** *Pablo ordena destruir el refugio.*
- **CIELO:** *Carlos intenta escribir la oración.*

Sugerencias: En niveles más bajos puede permitirse que en vez de una oración sean nombres de objetos que empiecen por la letra correspondiente, o se pueden establecer campos semánticos. Ejemplos:

- **PERA:** (alimentos) Patatas − empanada − rosquillas − azúcar
- **COSA:** (animales) Caballo − oso − serpiente − araña
- **LOCAL:** (adjetivos que expresen carácter) Liberal − orgulloso − cariñoso − amable − leal

VERDADERO O FALSO

Destrezas: Expresión oral, comprensión auditiva.

Objetivo comunicativo: Mostrar acuerdo o desacuerdo.

Objetivo gramatical: Presente de Indicativo.

Nivel: Elemental, intermedio y avanzado.

Material: Un póster, un dibujo o una fotografía.

Desarrollo: El profesor expone en un sitio visible un póster o una fotografía y va diciendo frases sobre lo que allí se ve. Unas serán verdaderas y otras falsas. El alumno al que le corresponda el turno repetirá la frase si es verdadera, pero si es falsa deberá corregirla añadiendo la verdadera.

Por ejemplo:

Profesor: *En el prado hay tres vacas.*

Alumno 1: *No, no hay tres vacas, sino dos ovejas.*

Profesor: *Hace sol.*

Alumno 2: *No es verdad, está lloviendo.*

LOS SENTIMIENTOS REVELADOS

Destrezas: Expresión oral, comprensión auditiva.

Objetivo comunicativo: Hablar de los sentimientos propios y ajenos.

Objetivo gramatical: Verbo *sentir(se)*; vocabulario del campo semántico de los *sentimientos*.

Nivel: Intermedio y avanzado.

Material: Tarjetas con nombres de sentimientos.

Desarrollo: El profesor mezcla en una bolsa tarjetas con palabras referidas al campo semántico *sentimientos*. Se saca una y hay que completar la frase

Me siento.............. cuando..............

Por ejemplo:

Avergonzado: *Me siento avergonzado cuando tengo que hablar en público.*

Triste: *Me siento triste cuando se acaban las vacaciones.*

Deprimido: *Me siento deprimido cuando llega el invierno.*

Contento: *Me siento contento cuando saco buenas notas.*

Sugerencias: Algunas de las tarjetas podrían ser:

Alegre	Satisfecho	Descansado
Pesimista	Solo	Tierno
Optimista	Extraño	Afectivo
Valiente	Ansioso	Sentimental
Cortado	Herido	Sereno
Animado	Indefenso	Nervioso
Desanimado	Indeciso	Manipulado
Impulsivo	Tranquilo	Romántico

LA NARIZ DE PINOCHO

Destrezas: Expresión oral, expresión escrita, comprensión lectora, comprensión auditiva.

Objetivo comunicativo: Contradecir a alguien.

Objetivo gramatical: Practicar el período hipotético.

Nivel: Intermedio y avanzado.

Material: Ninguno.

Desarrollo: Un alumno hace una afirmación, por ejemplo:

Ayer me tocó la lotería. El siguiente tiene que contestar: *Mentiroso.* Y formular un período hipotético del estilo a *Si ayer te hubiera tocado la lotería hoy no habrías venido a clase.*

Otros ejemplos:

Alumno 1: *Los padres de Sheila son españoles.*

Alumno 2: *Mentiroso, si sus padres fuesen españoles ella hablaría mejor el castellano.*

Alumno 1: *Peter tiene una novia en Alemania.*

Alumno 2: *Mentiroso, si tuviera una novia en Alemania no saldría con mi hermana.*

Nota: Fuente: *Aprender español jugando*, J. de Santiago Guervós y J. Fernández, González, Madrid, Huerga y Fierro Editores, 1997.

LA EXTRAÑA PAREJA

Destrezas: Expresión oral, expresión escrita, comprensión lectora y comprensión auditiva.

Objetivo comunicativo: Llegar a un acuerdo con el compañero.

Objetivo gramatical: Tiempos verbales del presente, pasado y futuro.

Nivel: Intermedio y avanzado.

Material: Tarjetas en blanco.

Desarrollo: Se reparte a cada alumno una tarjeta en la que debe escribir un sustantivo cualquiera (uno en cada ficha). Se mezclan todas y el profesor empieza el juego:

- **¿Qué le dijo** ... *(se lee una palabra de una ficha)* **a** ... *(se lee otra palabra de otra ficha)*?

Los alumnos –por parejas– dispondrán de un poco de tiempo para pensar y tendrán que escribir una solución posible. Cuanto más distantes semánticamente sean las palabras, más esfuerzo de imaginación y creación tendrán que hacer los alumnos.

Sugerencias: Sirvan de orientación varias parejas que nos han salido alguna vez: *cojín-abanico; flor- paraguas; abrigo-tren; lápiz-avión; pierna-billete; bicicleta-reloj; ojo-cuadro; vaca-peine; armario-gato.* Ejemplo:

- **¿Qué le dijo el *cojín* al *abanico*?**

  ¡Qué suerte tienes! Tú siempre ves la cara de la gente, mientras que yo...

Separa Palabras

Destrezas: Expresión escrita.

Objetivo comunicativo: Mostrar acuerdo o desacuerdo.

Objetivo gramatical: Discriminar palabras identificándolas.

Nivel: Elemental, intermedio y avanzado.

Material: Ninguno.

Desarrollo: Repartir un pequeño texto en el que se hayan suprimido los espacios entre las palabras. Los alumnos deberán separarlas y comparar en parejas los resultados. Ejemplos:

- **Tengounamigoquevaconsumujeratodaspartesporquenosoportadarleunbe-sodedespedida.**

- **MiprimoJuanestáperdiendolamemoria;ayerporlanochebesóasugatoypusoa-sumujerenlacalle.**

(Tengo un amigo que va con su mujer a todas partes porque no soporta darle un beso de despedida)

(Mi primo Juan está perdiendo la memoria; ayer por la noche besó a su gato y puso a su mujer en la calle)

Yo Contesto y Tú Preguntas

Destrezas: Expresión oral, expresión escrita, comprensión auditiva.

Objetivo comunicativo: Adecuar preguntas y respuestas teniendo en cuenta los distintos elementos del discurso: información nueva, información consabida...

Objetivo gramatical: Oraciones interrogativas.

Nivel: Intermedio y avanzado.

Material: Listado con respuestas.

Desarrollo: El profesor leerá una serie de respuestas a unas supuestas preguntas que los alumnos deberán escribir posteriormente.

La lista del profesor puede ser:

> *El año pasado; melocotón en almíbar; los calcetines encima de la mesa; las vacas de Asturias; el elefante africano; Cervantes; en un periódico; cuando venía a clase; por culpa del autobús municipal; el fútbol; quince...*

Los alumnos podrían suponer que las tres primeras respuestas se corresponden a las siguientes preguntas:

- ¿Cuándo conociste a tu novia?
  El año pasado

- ¿Qué quieres de postre?
  Melocotón en almíbar

- ¿Qué es lo que más te molesta de tu compañero de piso?
  Los calcetines encima de la mesa

Oraciones Truncadas

Destrezas: Expresión oral, expresión escrita, comprensión lectora, comprensión auditiva.

Objetivo comunicativo: Dar opiniones personales; justificar; argumentar.

Objetivo gramatical: Abierto: formas verbales de Indicativo y Subjuntivo.

Nivel: Intermedio y avanzado.

Material: Fotocopias.

Desarrollo: Se entrega a cada alumno una hoja con oraciones incompletas. Se les deja tiempo o se manda como tarea para casa. Una vez acabada la actividad se leen en clase las distintas soluciones y se explican al resto del grupo:

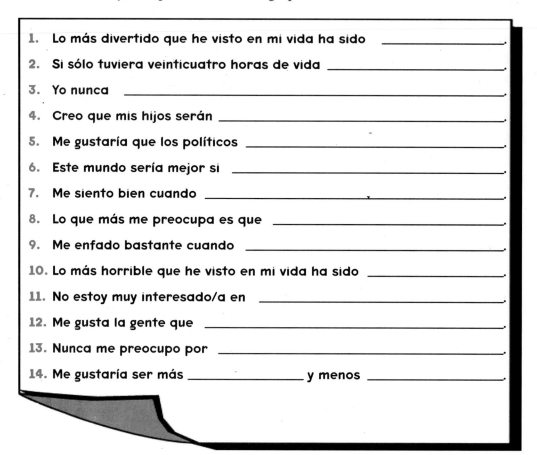

1. Lo más divertido que he visto en mi vida ha sido _____.

2. Si sólo tuviera veinticuatro horas de vida _____.

3. Yo nunca _____.

4. Creo que mis hijos serán _____.

5. Me gustaría que los políticos _____.

6. Este mundo sería mejor si _____.

7. Me siento bien cuando _____.

8. Lo que más me preocupa es que _____.

9. Me enfado bastante cuando _____.

10. Lo más horrible que he visto en mi vida ha sido _____.

11. No estoy muy interesado/a en _____.

12. Me gusta la gente que _____.

13. Nunca me preocupo por _____.

14. Me gustaría ser más _____ y menos _____.

IDIOTECES

Destrezas: Expresión oral, comprensión lectora, comprensión auditiva.

Objetivo comunicativo: Contar historias en el pasado.

Objetivo gramatical: Tiempos del pasado; oraciones de relativo.

Nivel: Intermedio y avanzado.

Material: Fotocopias.

Desarrollo: La actividad trata de poner a prueba la capacidad de improvisación de los participantes. Puede jugarse individualmente, por parejas o en pequeños grupos.

El profesor irá preguntando *¿Quién fue / es...?* o bien *¿Qué pasó en...?* y dejará un poco de tiempo para que los alumnos improvisen una respuesta. Terminada la ronda de preguntas se leerán las respuestas de cada equipo y se puntuará la más imaginativa, la más creíble, etc.

Al final el profesor puede dar las respuestas correctas, pero los alumnos deben entender que no se trata de un juego de cultura general y que, por tanto, la actividad no consiste en dar con la solución correcta –cosa bastante improbable, por otra parte–.

Os proponemos algunos nombres y algunas fechas:

1. **¿Quién es Emilio Menéndez?**

   Piragüista nacido en 1953 en Candás –Asturias–. Fue medalla de plata en Montreall –1976– en K4 1.000 metros. Consiguió también medalla de plata en Moscú –en K2 5.000 m y bronce en K2 1.000 m.

2. **¿Quién fue Ramón Carnicer?**

   Compositor, director de orquesta y pedagogo español nacido en Tárrega en 1789 y fallecido en Madrid en 1855.

3. **¿Quién fue Segismundo Casado López?**

   (1893-1967) Comandante de caballería. Dirigió la escuela Popular de Estado Mayor. Autor de *Así cayó Madrid* y de *Últimos episodios de la guerra civil española*.

4. **¿Quién fue Art Fry?**

   Químico norteamericano inventor de las famosas notas autoadhesivas Pos-it.

5. **¿Quién fue Reinhold Burger?**

   Un alemán. inventor del termo para uso doméstico.

6. **¿Quién fue Corradini d'Ascanio?**

   Un ingeniero italiano que inventó la motocicleta Vespa.

7. **¿Quién fue L. Ludwik Zamenhoff?**

Médico oculista ruso-polaco (1859-1917), inventor del esperanto.

1. **¿Qué pasó el 23 de abril de 1616?**

Muere en Madrid Miguel de Cervantes.

2. **¿Qué pasó el 1 de noviembre de 1700?**

Muere Carlos II.

3. **¿Qué pasó el 7 de septiembre de 1822?**

Pedro de Braganza, hijo de Juan VI, declara la independencia de Brasil.

4. **¿Qué pasó el 3 de diciembre de 1967?**

El cardiólogo sudafricano Christian Barnard realiza el primer trasplante de corazón.

5. **¿Qué pasó el 20 de julio de 1969?**

Llegada del hombre a la luna en el curso de la misión norteamericana Apolo 11.

6. **¿Qué pasó el 4 de noviembre de 1980?**

En Estados Unidos, triunfo de Ronald Reagan sobre el hasta entonces presidente demócrata Jimmy Carter.

7. **¿Qué pasó el 31 de octubre de 1984?**

Indira Gandhi fue asesinada por tres sikhs miembros de su servicio de seguridad personal.

8. **¿Qué pasó el 28 de agosto de 1985?**

Tres de los integrantes de una expedición catalana al Everest logran coronar la cima más alta del mundo, a la que ascendieron siguiendo la ruta tibetana.

BORRA Y SUSTITUYE

Destrezas: Expresión escrita, comprensión lectora.

Objetivo comunicativo: Negociar.

Objetivo gramatical: Sintaxis oracional.

Nivel: Intermedio y avanzado.

Material: Ninguno.

Desarrollo: El profesor escribe una oración en la pizarra. Borrará dos palabras y llamará a un alumno para que complete la frase con otras, pero teniendo cuidado de que la oración resultante sea también correcta.

Una posibilidad es hacerlo como un concurso en grupos de cuatro. Las palabras que se deben sustituir pueden ser sustantivos, verbos, conectores, etc., dependiendo del nivel en que se practique.

CEROS Y EQUIS

Destrezas: Expresión oral, comprensión auditiva.

Objetivo comunicativo: Hacer sugerencias, prometer, recomendar, invitar... (según los verbos elegidos).

Objetivo gramatical: Usos del Subjuntivo.

Nivel: Intermedio y avanzado.

Material: Fotocopias del tablero.

Desarrollo: La técnica de esta actividad es semejante a la de *Tres en raya*. Se puede jugar dividiendo a los alumnos en pequeños grupos pero es mejor de dos en dos. Uno de los jugadores formará el equipo de "los ceros" y otro el de "las equis". El objetivo será conseguir una línea de tres XXX o de tres 000. El primer estudiante elige un cuadrado de los cuatro que forman en el tablero. Dentro de él señala una casilla y hace una propuesta a su adversario utilizando alguno de los verbos que se sugieren y que aparecen dispuestos alrededor de los rectángulos. La frase debe estar relacionada con el dibujo o las palabras que aparezcan en la casilla y tendrá que involucrar de alguna manera a su compañero. Por ejemplo, si ha elegido el cuadrado número 1 y la casilla en la que aparece *Hotel*, puede decir *¿Podrías recomendarme un buen hotel para pasar las vacaciones?* o *Yo te recomendaría que buscases un hotel cercano a la playa.*

1.

Hotel		
Inglés	Comida	Un rato agradable
	Beatriz	Bastante caro

2.

El problema		
Tu nombre	Mi / tu culpa	La verdad

3.

?	La boda	
		¡Enhorabuena!
Un trabajo		

4.

Un apartamento		Una alternativa
ABC	En mi casa	

Dejar Enseñar Pagar Presentar Describir Enviar Sugerir Dar Ofrecer Decir

LETREROS EXTRAVIADOS

Destrezas: Expresión oral, comprensión lectora.

Objetivo comunicativo: Explicar; argumentar; ubicar objetos.

Objetivo gramatical: Oraciones sustantivas con verbos de entendimiento del tipo *pensar* o *creer*.

Nivel: Intermedio y avanzado.

Material: Fotocopia de los distintos letreros.

Desarrollo: Se reparte una hoja a cada alumno con distintos letreros. Deben intentar descubrir de dónde han sido quitados y explicar por qué piensan así.

La Personalidad de Alberto

Destrezas: Expresión oral, expresión escrita, comprensión lectora, comprensión auditiva.

Objetivo comunicativo: Hablar de cualidades y de defectos.

Objetivo gramatical: Usos preposicionales; ser y estar.

Nivel: Intermedio y avanzado.

Material: Fotocopias.

Desarrollo: Se reparte a los alumnos una hoja con las características positivas y negativas de Alberto, hombre de compleja personalidad. Los alumnos tendrán que completar las preposiciones que se "han perdido" al escribir sus cualidades y sus defectos.

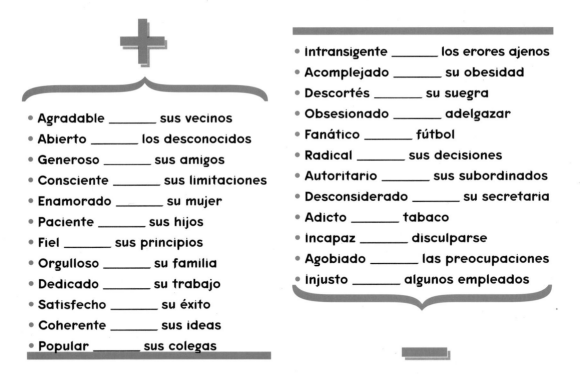

+

- Agradable _____ sus vecinos
- Abierto _____ los desconocidos
- Generoso _____ sus amigos
- Consciente _____ sus limitaciones
- Enamorado _____ su mujer
- Paciente _____ sus hijos
- Fiel _____ sus principios
- Orgulloso _____ su familia
- Dedicado _____ su trabajo
- Satisfecho _____ su éxito
- Coherente _____ sus ideas
- Popular _____ sus colegas

- Intransigente _____ los erores ajenos
- Acomplejado _____ su obesidad
- Descortés _____ su suegra
- Obsesionado _____ adelgazar
- Fanático _____ fútbol
- Radical _____ sus decisiones
- Autoritario _____ sus subordinados
- Desconsiderado _____ su secretaria
- Adicto _____ tabaco
- Incapaz _____ disculparse
- Agobiado _____ las preocupaciones
- Injusto _____ algunos empleados

Sugerencias: Esta actividad se puede completar pidiendo a los alumnos que además de la preposición pongan el verbo adecuado ser o estar. Posteriormente, de manera individual o por parejas, deberán inventarse alguna situación en la que Alberto haya mostrado alguna de sus cualidades o alguno de sus defectos.

Por ejemplo:

- Está muy enamorado de su mujer porque es cariñosa e inteligente.
- Es generoso con sus amigos porque siempre los invita a tomar algo después del trabajo.
- Alberto está acomplejado por su obesidad y todos los lunes empieza una dieta que deja todos los martes porque le gusta demasiado comer.

¡ESTO ES EL COLMO!

Destrezas: Expresión oral, comprensión lectora.

Objetivo comunicativo: Mostrar acuerdo o desacuerdo; justificar.

Objetivo gramatical: Trabajar con el doble sentido de algunas palabras.

Nivel: Intermedio y avanzado.

Material: Fotocopias de los colmos.

Desarrollo: Los alumnos tienen que buscar la correspondencia justa entre las "preguntas-colmo" y las respuestas que aparecen desordenadas:

1. ¿Cuál es el colmo de un sereno?
2. ¿Cuál es el colmo de un jardinero?
3. ¿Cuál es el colmo de una suegra?
4. ¿Cuál es el colmo de la paciencia?
5. ¿Cuál es el colmo de un electricista?
6. ¿Cuál es el colmo de un mecánico?
7. ¿Cuál es el colmo de Papá Noel?
8. ¿Cuál es el colmo de un pianista?
9. ¿Cuál es el colmo de la cortesía?
10. ¿Cuál es el colmo de una aspiradora?
11. ¿Cuál es el colmo de un carnicero?
12. ¿ Cuál es el colmo de una maestra?
13. ¿ Cuál es el colmo de un despistado?
14. ¿ Cuál es el colmo de un pirata?

D   Meter una zapatilla en una jaula y esperar a que cante

H   Tener una mujer un poco jamona y un hijo chorizo

A   Que se muerda la lengua y muera envenenada

I   No encontrar trabajo porque no tiene enchufes

C   Estar siempre nervioso

E   Tener un hijo que sea un plomo y que le falte un tornillo

M   Estar muy buena y no enseñar nada

G   Que los niños crean en él pero su mujer no

K   Que su mujer se llame Tecla y la toque otro

F   Responder cuando nos preguntan la hora: "La que usted quiera"

N   Que su hija se llame Margarita y que la dejen plantada

J   Ser alérgica al polvo

B   Que su pata de madera lo abandone por un patito de goma

L   Que levanten un monumento a su memoria

Soluciones: 1-C; 2-N; 3-A; 4-D; 5-I; 6-E; 7-G; 8-K; 9-F; 10-J; 11-H; 12-M; 13-L; 14-B

CÍRCULOS VICIOSOS

Destrezas: Expresión oral, expresión escrita, comprensión lectora, comprensión auditiva.

Objetivo comunicativo: Preguntar o explicar la causa de algo.

Objetivo gramatical: Oraciones causales; oraciones temporales con *cuando* + Subjuntivo; período hipotético: *si* + Imperfecto de Subjuntivo + Condicional.

Nivel: Intermedio y avanzado.

Material: Fotocopia de la canción *Círculos viciosos*.

Desarrollo: Se entrega a los alumnos la letra de la canción *Círculos viciosos* de Joaquín Sabina, construida mediante la técnica de preguntas-respuestas y que repite constantemente la misma estructura interrogativa y causal. Después deberán crear sus propios "círculos viciosos".

Quisiera hacer lo de ayer,
pero introduciendo un cambio.
No metas cambios Hilario
que anda el jefe por ahí.

— ¿Por qué está de jefe?
— Porque va a caballo.
— ¿Por qué va a caballo?
— Porque no se baja.
— ¿Por qué no se baja?
— Porque vale mucho.
— ¿Y cómo lo sabes?
— Porque está "mu" claro.
— ¿Por qué está tan claro?
— Porque está de jefe.
— Eso mismo fue
lo que yo le pregunté:
¿Por qué está de jefe?

— Yo quiero bailar un son
y no me deja Lucía.
— Yo que tú no bailaría
porque está triste Ramón.
— ¿Por qué está tan triste?
— Porque está malito.
— ¿Por qué está malito?
— Porque tiene anemia.
— ¿Por qué tiene anemia?
— Porque está "mu" flaco.
— ¿Por qué está tan flaco?
— Porque come poco.
— ¿Por qué come poco?
— Porque está "mu" triste.
— Eso mismo fue
lo que yo le pregunté:
¿Por qué está tan triste? (bis)

— Quiero formar sociedad
con el vecino de abajo.
— Ése no tiene trabajo.
No te fíes Sebastián.
¿Por qué no trabaja?
— Porque no lo cogen.
— ¿Por qué no lo cogen?
— Porque está "fichao".
— ¿Por qué lo ficharon?
— Porque estuvo preso.
— ¿Por qué lo metieron?
— Porque roba mucho.
— ¿Por qué roba tanto?
— Porque no trabaja.
— Eso mismo fue lo que yo le pregunté:
¿Por qué no trabaja? (bis)

— Quiero conocer a Lola
"hablarla" y decirle hola.
— ¿No le has visto la pistola?
Deja esta vaina, Javier.
— ¿"Pa" qué la pistola?
— Porque tiene miedo.
— ¿Por qué tiene miedo?
— Porque no se fía.
— ¿Por qué no se fía?
— Porque no se entera.
— ¿Por qué no se entera?
— Porque no le hablan.
— ¿Por qué no le hablan?
— Por llevar pistola.
— Eso mismo fue
lo que yo le pregunté:
¿"Pa" qué la pistola? (bis)

Círculos Viciosos (Joaquín Sabina)

Sugerencias: Sería conveniente recordar a los estudiantes que en español a la pregunta *¿Por qué...?* no siempre se contesta con *Porque...* Cuando la respuesta es una justificación las normas pragmáticas aconsejan el uso de *Es que...*

VARIANTE 1:

DIME CUÁNDO, CUÁNDO, CUÁNDO: Esta misma técnica del "círculo vicioso" puede servir para la práctica de estructuras sintácticas como las oraciones temporales con Subjuntivo. Cada alumno empieza escribiendo una oración que responda a la estructura:

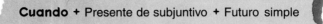

Cuando + Presente de subjuntivo + Futuro simple

Cuando todos los alumnos hayan escrito su frase, pasan la hoja al compañero de la derecha, que la lee e intenta enlazarla con otra nueva siguiendo el esquema siguiente:

PRESENTE DE SUBJUNTIVO ——————————— FUTURO

PRESENTE DE SUBJUNTIVO ——————————— FUTURO

Por ejemplo:

Alumno 1: Cuando *tenga* un buen trabajo me *compraré* una casa

Alumno 2: Cuando me *compre* una casa *seré* independiente

Alumno 3: Cuando *sea* independiente ...

VARIANTE 2:

Se puede utilizar el mismo procedimiento para practicar el segundo tipo de período hipotético:

Si + Imperfecto de subjuntivo + Condicional simple

SI + IMPERFECTO DE SUBJUNTIVO ——————— CONDICIONAL SIMPLE

SI + IMPERFECTO DE SUBJUNTIVO ——————— CONDICIONAL SIMPLE

Por ejemplo:

Alumno 1: Si las mujeres *gobernasen* en el mundo *habría* menos guerras

Alumno 2: Si *hubiera* menos guerras la gente *sería* más feliz

Alumno 3: Si la gente *fuera* más feliz ...

FECHAS IMPORTANTES

Desarrollo: Los alumnos escriben tres fechas (o números) que sean importantes para ellos o que tengan un significado especial. Se intercambiarán las hojas y cada uno intentará adivinar por qué esa fecha o ese número determinado tienen interés para su compañero. Lanzarán hipótesis sobre qué puede representar esa fecha y finalmente cada uno desvelará la auténtica razón.

Por ejemplo, un alumno recibe de su compañero una hoja con:

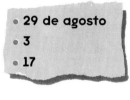

- 29 de agosto
- 3
- 17

Y puede decir, por ejemplo:

- El 29 de agosto de 1992 es importante para él porque se sacó el carnet de conducir.
- 3 es el número de idiomas que sabe hablar.
- 17 son los años que tenía cuando empezó a estudiar en la universidad.

El compañero que haya escrito esas fechas y esos números dirá al final si ha acertado o no:

- El 29 de agosto es la fecha en la que me casé.
- 3 es el número de hijos que quiero tener.
- 17 son los años que tenía cuando tuve mi primera novia.

¿PARA QUÉ SIRVE?

Desarrollo: Se trata de buscar todas las utilidades de un objeto –las reales, las posibles–. Es un juego de imaginación que se puede realizar en grupos de tres o cuatro personas. El profesor propone objetos, como por ejemplo, *una manta, un sombrero, un cuchillo, una cazuela...* y los estudiantes deben enumerar los usos utilizando su imaginación cuando ya han dicho la utilidad básica y real del objeto.

Sugerencias: Puede resultar muy divertido, en niveles intermedios y avanzados preguntar para qué sirve...

- **Un marido, una esposa, un abuelo, un profesor, un político...**

TRES EN RAYA

Destrezas: Expresión oral, comprensión auditiva.

Objetivo comunicativo: Hablar de acontecimientos pasados; expresar deseos y esperanzas...

Objetivo gramatical: Usos del Subjuntivo; uso de los tiempos del pasado; Presente habitual... (Depende de los esquemas elegidos).

Nivel: Intermedio y avanzado.

Material: Fotocopia de los esquemas de tres en raya.

Desarrollo: Se hacen dos equipos en clase. El profesor dibuja en la pizarra un tres en raya y los portavoces de los equipos deben colocar X - O por turno pero para hacerlo, tras escoger la posición que desean, deben construir una oración correctamente.

- Con Subjuntivo:

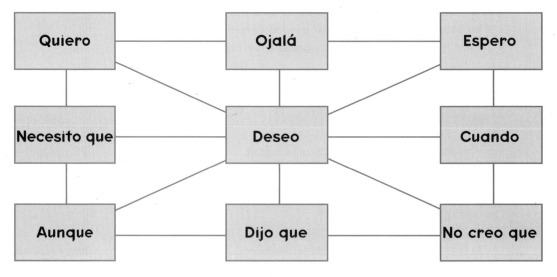

• Con el Pretérito Perfecto y con el Indefinido:

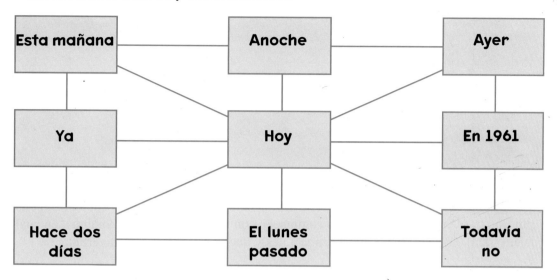

• Con acciones habituales:

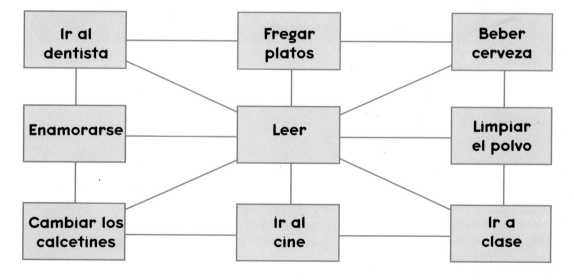

Sugerencias: Esta actividad presenta múltiples posibilidades tanto desde el punto de vista gramatical como comunicativo. Podría hacerse también para practicar y enriquecer el vocabulario, por ejemplo, con palabras que empiecen por *ve, cho, le, a, to, ca, pi, es, por...* o que terminen por *ar, ño, da, sa, ta, ca, ma, dad, tón...*

EL GRUPO FANTÁSTICO

Destrezas: Expresión oral, expresión escrita, comprensión auditiva.

Objetivo comunicativo: Mostrar acuerdo o desacuerdo.

Objetivo gramatical: Sintaxis oracional.

Nivel: Intermedio y avanzado.

Material: Ninguno.

Desarrollo: El profesor hace grupos de seis o siete alumnos y les dice que deben construir una frase en la que las palabras comiencen con las iniciales de sus nombres (en cualquier orden). Gana el grupo que termina antes y que tiene la frase más divertida.

Por ejemplo, si el grupo está formado por estos cinco alumnos: *Markus, Sheila, Luciele, Emily y Yoshi* podrían inventarse una oración como:

- **Los miércoles yo encargo sopa.**

GANA CON FRASES

Destrezas: Expresión oral, expresión escrita.

Objetivo comunicativo: Mostrar acuerdo o desacuerdo.

Objetivo gramatical: Sintaxis oracional.

Nivel: Intermedio y avanzado.

Material: Ninguno.

Desarrollo: El profesor coloca en su mesa tres bloques de cartas: uno con el alfabeto, otro con categorías gramaticales y otro con tiempos verbales. Divide la clase en grupos de cuatro o cinco alumnos y les explica que gana el grupo que logre hacer una oración más rápidamente. Por ejemplo:

El profesor levanta las cartas por orden y surge esta combinación:

1. **Una letra: L.**
2. **Una categoría: adverbio.**
3. **Un tiempo: indefinido.**

Oración: *Lentamente abrió la puerta*

TEST DE "COMPRENSIÓN LECTORA"

Destrezas: Comprensión lectora.

Objetivo comunicativo: Dar órdenes.

Objetivo gramatical: Imperativo afirmativo y negativo.

Nivel: Intermedio y avanzado.

Material: Fotocopias del test.

Desarrollo: El profesor reparte a cada alumno una fotocopia con un falso test diciéndoles que con esta actividad repasarán el uso del imperativo y la lectura rápida. Les dice que es como un juego con instrucciones que deben seguir, que tienen muy poco tiempo y que ganará el estudiante que antes termine el test. En la fotocopia se dan las siguientes órdenes:

TIENES DOS MINUTOS PARA COMPLETAR ESTE TEST

> ....

1. Lee atentamente las instrucciones que se dan a continuación antes de hacer nada.
2. Escribe tu nombre y apellido en el espacio indicado para ello en la parte superior de esta hoja.
3. Dibuja un triángulo en la parte inferior izquierda de esta página.
4. Dile a tu compañero cómo te llamas en voz alta.
5. Encierra en un círculo cada uno de los números de las preguntas anteriores.
6. Anota aquí la fecha exacta de tu nacimiento _____.
7. Tira un papel al suelo.
8. Dibuja la cabeza de un perro.

9. Levántate, da tres palmadas y ofrece tu mano, a modo de saludo, a quien tengas a tu derecha.
10. Ponte de pie y siéntate otra vez; trata de hacerlo antes que tu compañero de la izquierda.
11. Firma con tu nombre _____.
12. En el reverso de la hoja multiplica 70 por 18.
13. Repasa los puntos anteriores y subraya lo que más te haya costado realizar.
14. Si piensas que has realizado correctamente todas las instrucciones hasta este momento escribe *TODO LO HE REALIZADO CORRECTAMENTE* en la parte inferior derecha de esta hoja.
15. Ahora que ya has leído cuidadosamente todas las instrucciones, sigue solamente la instrucción número 2 y da la vuelta a la hoja.

UN DÍA EN LA VIDA DE...

Destrezas: Expresión oral, expresión escrita, comprensión auditiva.

Objetivo comunicativo: Hablar de acontecimientos pasados.

Objetivo gramatical: Uso de los tiempos del pasado.

Nivel: Intermedio y avanzado.

Material: Ninguno.

Desarrollo: El profesor divide la clase en grupos. Un miembro de cada equipo abandona la clase y, mientras tanto, los demás miembros del grupo deciden qué hizo ayer ese estudiante, desde la mañana hasta la noche. Cuando todos los grupos hayan terminado, se llama a los alumnos que están fuera y el profesor les dice que deben averiguar lo que piensan sus compañeros que hizo ayer. Sólo puede hacerles preguntas a las que puedan contestar *sí-no*.

¿QUÉ SABES HACER?

Destrezas: Expresión oral, comprensión lectora, comprensión auditiva.

Objetivo comunicativo: Abierto (hablar en presente,...).

Objetivo gramatical: Vocabulario de los días de la semana y de los meses del año; los números cardinales, ...

Nivel: Elemental, intermedio y avanzado.

Material: Fotocopias del texto ¿Qué sabes hacer?.

Desarrollo: Se trata de encontrar a alguien que sea capaz de hacer todas, o algunas de estas cosas:

¿QUÉ SABES HACER?

- Contar hasta 20 al revés en 15 segundos.
- Decir un trabalenguas (el perro de San Roque no tiene rabo...).
- Repetir tres veces: "la escasez de lluvia estropeó la cosecha" (de memoria).
- Decir cinco cosas que ha hecho hoy.
- Decir cinco verbos que acaben en –IR.
- Deletrear el nombre de la calle donde vive.
- Decir qué hace un perro, un gato y una vaca en español.
- Decir cinco cosas que hizo ayer.
- Decir los días de la semana al revés.
- Enumerar los meses que no tienen R.

Se dan dos puntos por cada "habilidad". Gana el alumno que tenga más puntos.

Otras posibles variantes:

¿A QUIÉN LE MOLESTA?:
Se trata de encontrar a alguien en clase a quien le moleste una o varias cosas de la siguiente lista que el profesor da en fotocopia a todos los alumnos. Gana el alumno que consigue completar la lista con el nombre de alguien para todos los temas.

1	Dormir con más personas en la habitación.
2	Compartir el periódico.
3	Los "graciosos".
4	Los calcetines sucios encima de la cama.
5	Las pieles de patata en el fregadero.
6	El lavabo sucio.
7	Un pelo en la sopa.
8	Una broma telefónica.
9	Las personas que no dejan el recado en el contestador.
10	Los "tocones".
11	Que la gente fume en los restaurantes.
12	Los anuncios en televisión.

¿A QUIÉN LE DA MIEDO?:
El profesor reparte a todos los alumnos una fotocopia y les dice que deben encontrar a alguien a quien le dé miedo alguna de estas situaciones; gana el alumno que antes complete su lista.

1	Estar solo en casa.
2	Una guerra.
3	Las tormentas.
4	Los perros.
5	Los insectos.
6	Limpiar la casa.
7	La suegra.
8	Volver solo a casa por la noche.
9	Viajar en avión.
10	Hacer deportes de riesgo.

¿QUIÉN...?

1. Llora con las películas románticas.
2. Está muy contento consigo mismo.
3. Se acuesta muy tarde.
4. Se levanta muy temprano.
5. Se emborracha casi todos los sábados.
6. Cree en fantasmas.
7. Ha visto un extraterrestre.
8. No come carne.
9. Se haría la cirugía estética.
10. Quiere ser famoso.

Y... la última

SEGURO QUE EN CLASE HAY ALGUIEN QUE:

1. Ha salido UNA vez en televisión.
2. Tiene DOS muelas del juicio.
3. Ha estado TRES veces en España.
4. Puede comerse CUATRO hamburguesas seguidas.
5. Toma CINCO cafés al día.
6. Tiene SEIS primos.
7. Ha leído SIETE libros (o más).
8. Se levanta a las OCHO.
9. Puede decir NUEVE veces "Zaragoza" correctamente.
10. ¡Cree que es un hombre o una mujer DIEZ!

LA SUBASTA

Destrezas: Expresión oral, expresión escrita, comprensión lectora.

Objetivo comunicativo: Mostrar acuerdo o desacuerdo.

Objetivo gramatical: Sintaxis oracional.

Nivel: Intermedio y avanzado.

Material: Fotocopias de las oraciones.

Desarrollo: Cada pareja de alumnos tiene cinco mil pesetas con las que deben comprar oraciones que aparecen en la fotocopia que le entrega el profesor. Cada una cuesta quinientas pesetas. Deben comprar el mayor número de ellas pero han de ser correctas, porque por cada frase incorrecta que haya comprado deberán pagar mil pesetas. Cada frase correcta aumenta dos mil pesetas el patrimonio de cada equipo. Gana la pareja que una vez corregida la actividad tenga más dinero.

Los ejemplos que proponemos a continuación son oraciones erróneas que nosotros incluimos en nuestra **SUBASTA** al lado de otras correctas. Presentan errores muy comunes cometidos por estudiantes de nivel intermedio.

- A Pepe gusta leer.
- Habían tres personas desconocidas esperando.
- Casi todo el mundo tienen televisión en casa.
- Desde hace tres días que se casó mi hermano.
- Ana es sentada en ese sofá.
- ¡Ya hecho los ejercicios!
- Ayer había ido al cine.
- Espero que vienes a España otra vez.
- Las flores olen bien.
- A Marta no gusta comer verduras.
- Llama en cuando llegues.
- Cuando verás a tu hermano dile que no me espere.
- ¿Dónde está una parada de autobús?
- A María la gustan mucho las películas románticas.

USOS INGENIOSOS

Destrezas: Expresión oral, comprensión auditiva.

Objetivo comunicativo: Argumentar para convencer a otros y desarrollar la improvisación.

Objetivo gramatical: Léxico —profesiones, objetos, animales, personas—; *para*+ Infinitivo, *para que*+ Subjuntivo.

Nivel: Intermedio y avanzado.

Material: Ninguno.

Desarrollo: El profesor prepara junto con los alumnos dos listas de unas veinte palabras. La primera de ellas debe contener nombres de gente o animales y la segunda, de objetos. Un jugador de cada equipo inserta una palabra de la lista A en la B siguiendo alguno de los patrones que se proponen a continuación:

¿Qué puede hacer un **A** con un **B**?   o   ¿Para qué necesita un **A** un **B**?

Sugerencias: En la lista **A** pueden aparecer, por ejemplo, *una profesora, un bebé, un dependiente, un médico, un elefante, un perro, una madre, un electricista, un abogado, un periodista, un carnicero, una hormiga, etc.* Todo depende de la imaginación de la clase.

En la lista **B** podrían aparecer *un libro, una moneda, un lápiz, una barra de pan, un coche, un pastel de manzana, un vaso de cerveza, una caja de tiritas, una linterna, etc.*

Las combinaciones que resultan pueden ser múltiples, por ejemplo, *¿Qué puede hacer un bebé con una linterna?* o *¿Para qué necesita un elefante una caja de tiritas?*

VARIANTE:

USOS Y ABUSOS

Hay dos grupos de tarjetas con formatos o colores diferentes, uno con nombres de profesiones y otro con nombres –o dibujos– de objetos y animales. Cada jugador coge una carta de cada montón y explica al resto de qué manera se podría usar ese objeto en ese trabajo. Las respuestas se someten a la aprobación de todo el grupo y, en última instancia, si no se llega a un acuerdo, el profesor actuará como juez.

Supongamos que un alumno saca las tarjetas siguientes:

- *cocinero – bolígrafo*: podría decir *Un cocinero necesita un bolígrafo para escribir una receta.*

- *taxista – una pipa*: *Un taxista puede fumar en pipa mientras espera a que llegue un cliente.*

Algunas sugerencias para las tarjetas de profesiones:

médico, futbolista, actor, profesor, telefonista, cartero, albañil, abogado, dependiente, farmacéutico, cantante, panadero, taxista, pescadero, empresario, cocinero, modista, minero, traductor, conductor de autobús, camarero...

Entre los objetos pueden aparecer:

un teléfono, un anillo, una pipa, un timbre, un sombrero, una moto, un cubo de la basura, unos guantes, una papelera, un avión, una barca, un bocadillo, un bolígrafo, una agenda, una cámara fotográfica, una silla...

El Día de San Valentín

Destrezas: Expresión oral, expresión escrita, comprensión lectora, comprensión auditiva.

Objetivo comunicativo: Hablar sobre las relaciones personales.

Objetivo gramatical: Abierto: Futuro Simple; Presente de Indicativo; Conectores.

Nivel: Intermedio y avanzado.

Material: Ninguno.

Desarrollo: Los alumnos deberán escribir pequeños mensajes para el día de los enamorados. Pueden proponerse como ejemplo los que aparecen en las tarjetas de felicitación, en cierta clase de bombones o en los pastelillos chinos:

Ejemplos de mensajes en bombones:

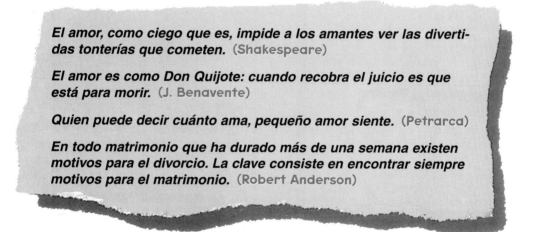

El amor, como ciego que es, impide a los amantes ver las divertidas tonterías que cometen. (Shakespeare)

El amor es como Don Quijote: cuando recobra el juicio es que está para morir. (J. Benavente)

Quien puede decir cuánto ama, pequeño amor siente. (Petrarca)

En todo matrimonio que ha durado más de una semana existen motivos para el divorcio. La clave consiste en encontrar siempre motivos para el matrimonio. (Robert Anderson)

Ejemplos de mensajes en pastelillos chinos:

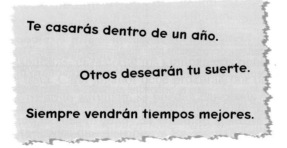

Te casarás dentro de un año.

Otros desearán tu suerte.

Siempre vendrán tiempos mejores.

2. COMPETENCIA DISCURSIVA

2.1. TEXTOS ORALES

EL SEMÁFORO ROJO

Destrezas: Expresión oral, expresión escrita, comprensión auditiva.

Objetivo comunicativo: Expresar hipótesis.

Objetivo gramatical: Futuro Perfecto; *IR* a + infinitivo.

Nivel: Intermedio y avanzado.

Material: Ninguno.

Desarrollo: El profesor dice a los alumnos que se imaginen que van en un coche y en un semáforo ven una escena determinada, por ejemplo, un hombre con una escalera al hombro. Se forman parejas o pequeños grupos y tienen que inventarse una explicación convincente. Por ejemplo:

- **Le ha tocado/ habrá tocado en un sorteo de unos grandes almacenes.**
- **Va a rescatar a un gato que se ha subido a un árbol.**
- **Se ha olvidado/ habrá olvidado las llaves e intenta entrar en su casa.**
- **Va a pintar una fachada.**

Los personajes y las situaciones que se ven desde el semáforo pueden ser muy variados.

- Un hombre y una mujer discutiendo acaloradamente.
- Una chica con un gran regalo.
- Un joven corriendo a toda prisa.
- Una mujer llorando.
- Un anciano con una cara muy alegre.
- Dos policías corriendo.

Nota: Variante de un juego propuesto en *Sacando jugo al juego*, de F. Delgado y P. del Campo, Edit. Integral, Barcelona, 1993.

GARANTÍAS

Destrezas: Expresión oral, comprensión auditiva.

Objetivo comunicativo: Exponer opiniones personales; convencer a los demás; justificar las propias decisiones; hablar de ventajas y desventajas.

Objetivo gramatical: Estructuras impersonales del tipo *SER / ESTAR* + Adjetivo o Adverbio + Indicativo o Subjuntivo; oraciones sustantivas con Indicativo o Subjuntivo: *(no) creo que, (no) pienso que...*

Nivel: Intermedio y avanzado.

Material: Fotocopias de *"Garantías para una vida"*.

Desarrollo: Se forman dos equipos: uno de agentes de seguros y otro de clientes. Se da a cada agente una lista de garantías para vivir, pero él sólo debe intentar vender una: la que aparece señalada en su papel. Para ello debe preparar una pequeña charla alabando las ventajas de esa garantía particular que intenta vender. Los clientes, mientras tanto, también habrán recibido una lista de garantías que podrían disfrutar durante su vida, a las que se han asignado distintos precios. Deben pensar cuáles son sus metas y qué importancia le conceden a cada una de ellas.

Garantías para una vida

Garantía	Pesetas
Salud	60.000
Popularidad	30.000
Inteligencia	40.000
Belleza	30.000
Matrimonio	40.000
Longevidad	60.000
Vida libre de accidentes	60.000
Realización personal	30.000
Opulencia	50.000
Estrellato	20.000
Amistad	50.000
Diversión	20.000
Carrera	30.000
Amor	60.000
Realización sexual	50.000
Familia feliz	50.000
Paciencia	30.000

Cada cliente sólo puede gastar cien mil pesetas en garantías. Por turno, los agentes tratarán de explicar las ventajas de su producto. Los clientes irán tomando notas y más tarde explicarán los motivos de su elección.

Sugerencias: El precio puede ser debatido por los estudiantes en una *tormenta de ideas*.

Nota: Adaptación de una actividad recogida en *Keep talking*, pág. 68-69.

OPTIMISTAS CONTRA PESIMISTAS

Destrezas: Expresión oral, comprensión auditiva.
Objetivo comunicativo: Expresar opiniones; intentar convencer a alguien; manifestar desacuerdo total o parcial.
Objetivo gramatical: Presentes de Indicativo regulares e irregulares; oraciones adversativas; oraciones causales.
Nivel: Intermedio y avanzado.
Material: Ninguno.

Desarrollo: Se forman dos equipos: los optimistas y los pesimistas. Un estudiante del primer grupo –los optimistas– empieza diciendo una frase, por ejemplo *El deporte es bueno para la salud porque ayuda a mantenerse en forma*. Entonces un miembro del equipo de los pesimistas tiene que dar otro punto de vista negativo, como *Pero deportes como el boxeo y las carreras de coches son muy peligrosos*.

NO TE CALLES

Destrezas: Expresión oral, expresión escrita (en las variantes propuestas), comprensión lectora.
Objetivo comunicativo: Argumentar; intentar convencer a otros.
Objetivo gramatical: Oraciones sustantivas con Indicativo o subjuntivo: *(no) creo que, (no) pienso que*, etc.; oraciones causales.
Nivel: Intermedio y avanzado.
Material: Papeles con un tema y una frase escritos.

Desarrollo: La clase se divide en equipos. Sobre una mesa, colocadas boca abajo, se dispone una serie de tarjetas en las que aparecen escritos una serie de temas. Un estudiante de cada grupo escoge una y debe argumentar durante un minuto lo importante que es para la humanidad ESO que pone la tarjeta.

Algunos ejemplos para las tarjetas: *las flores, la música, los vasos de plástico, los calcetines, las escuelas, el papel higiénico, las tarjetas de navidad, la rueda, Hacienda, los buenos amigos, los pañales, el bolígrafo, la televisión, etc.*

Por ejemplo, si un alumno saca una tarjeta en la que esté escrito *los calcetines*, tendrá un minuto para argumentar la importancia que éstos tienen en nuestras vidas.

Sugerencias: Si se considera necesario, puede concederse cierto tiempo para que los alumnos escriban su argumentación y luego la expongan ante sus compañeros. Al tomar esta opción se hace necesario que cada alumno coja su tarjeta al principio de la actividad.

PREGUNTAS INDISCRETAS

Destrezas: Expresión oral, comprensión auditiva.

Objetivo comunicativo: Relatar una historia; improvisar respuestas.

Objetivo gramatical: Tiempos del pasado; conectores discursivos.

Nivel: Intermedio y avanzado.

Material: Ninguno.

Desarrollo: La clase se divide en pequeños grupos y se da tiempo para que cada uno prepare una pequeña historia. El portavoz del primer grupo empieza a contar al resto de los compañeros la historia que han creado. De vez en cuando los jugadores de los otros equipos pueden interrumpirle y preguntarle por detalles de la historia: *¿Qué ropa llevabas? ¿Cuántos años tenía el conductor del taxi?*, etc. Los demás miembros del equipo deben ayudarle a improvisar las respuestas.

RUMORES

Destrezas: Expresión oral, comprensión auditiva.

Objetivo comunicativo: Transmitir información a otros.

Objetivo gramatical: Estilo indirecto.

Nivel: Intermedio y avanzado.

Material: Fotocopias de la hoja de observación.

Desarrollo: Se explicará al grupo que ésta es una actividad que trata de comprobar las deformaciones que con frecuencia se dan en la información que se transmite a otros. Se elige a tres alumnos que deben salir del aula.

El profesor reparte al resto de la clase una *Hoja de observación* en la que tendrán que anotar todo lo que sea pertinente, después lee en voz alta el texto elegido y todos tendrán que estar muy atentos para no perder ningún detalle. Más tarde se hace entrar a uno de los alumnos que permanecía fuera y un voluntario le transmite la información del texto lo más fielmente que pueda porque deberá contárselo a uno de sus compañeros ausentes. Éste repetirá lo que recuerda de la historia al tercer compañero, quien, finalmente, tendrá que transmitir toda la información al grupo.

A medida que avanza la actividad, cada alumno tendrá que ir anotando en su *Hoja de observaciones* los detalles imprecisos o erróneos, las discrepancias, las omisiones y los cambios introducidos en la información inicial durante el proceso de transmisión. Finalmente se cotejan las tres versiones y se discuten las diferencias. Durante todo el proceso no se permitirá ningún tipo de pregunta ni de aclaración.

Os proponemos el siguiente texto:

Un granjero del oeste de Extremadura colocó un tejado bastante delgado sobre su granero. Cierto día un viento huracanado lo hizo volar y cuando el granjero lo encontró a diez kilómetros, estaba doblado y encogido, sin posible reparación.

Un amigo y un abogado le indicaron que la *Compañía Ford de Automóviles* le pagaría un buen precio por la chatarra, así que el granjero decidió enviarles el tejado para ver cuánto podría sacar por él. Lo embaló en una gran caja de madera y lo envió a Avilés, Asturias, poniendo claramente el remite para que la Compañía Ford supiera dónde enviar el cheque.

Pasaron doce semanas y el granjero no había tenido ninguna noticia de ellos. Cuando estaba a punto de escribirles para averiguar lo que pasaba, recibió una carta de la *Ford* que decía: "No sabemos qué chocó contra su coche, pero lo tendremos arreglado para el quince del mes que viene".

Historia original	Primera versión	Segunda versión	Tercera versión
Granjero			
O. de Extremadura			
Viento huracanado			
Diez kilómetros			
Amigo y abogado			
Compañía Ford de automóviles			
Avilés, Asturias			
Pasaron 12 semanas			
Qué choco contra su coche			
El 15 del mes que viene			

- Detalle correcto y completo: + • Detalle incorrecto: - • Detalle incompleto: + -

VARIANTE:

LOS DETALLES OLVIDADOS: En vez de contar una historia, el profesor puede describir detalladamente una fotografía o un dibujo –mejor si presenta algún elemento llamativo e inusual–. El primer alumno deberá describir al segundo la foto y éste al tercero. Al final se comprueban las distorsiones.

BLA, BLA, BLA...

Destrezas: Expresión oral, comprensión auditiva.

Objetivo comunicativo: Expresar gustos; manifestar opiniones personales; narrar acontecimientos pasados.

Objetivo gramatical: Tiempos del pasado; presentes regulares e irregulares; el verbo gustar.

Nivel: Intermedio y avanzado.

Material: Fotocopia del tablero.

Desarrollo: Se necesita un tablero, fichas y·un dado. Dependiendo del número de alumnos se puede jugar en equipos de dos o de cuatro. Cada equipo va tirando por turnos el dado y avanza hasta la casilla correspondiente. Hay distintos tipos de casillas:

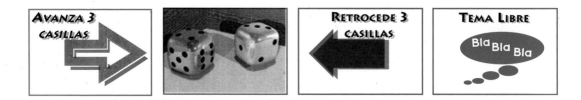

En el resto de las casillas aparecerá un tema determinado y cada vez que un equipo caiga en ellas tendrá que hablar sobre él durante un minuto. Para que todos los miembros de los equipos participen, será un alumno distinto el que tire el dado y el que haga lo que la suerte le depare, en cada jugada.

Sugerencias: Si se considera necesario, puede haber una serie de preguntas anotadas en tarjetas que sirvan de ayuda a los equipos para formulárselas a sus compañeros en las casillas de pregunta libre. Os sugerimos algunos temas:

Las costumbres de los españoles que más te gusten; algo que haces bien; tu tipo de música favorita; las costumbres de tu país; ¿qué hiciste el fin de semana pasado?; tu mejor amigo; ¿por qué estudias español?; tu casa ideal; algo que hayas perdido recientemente; un programa de televisión que te guste; algo peligroso; tu familia; tu asignatura preferida; un país en el que estés interesado; la estación del año que más te gusta; un sueño que tengas; un día con suerte; la sociedad de consumo; la última película que has visto; tus vecinos; los animales de compañía; limpiar la casa...

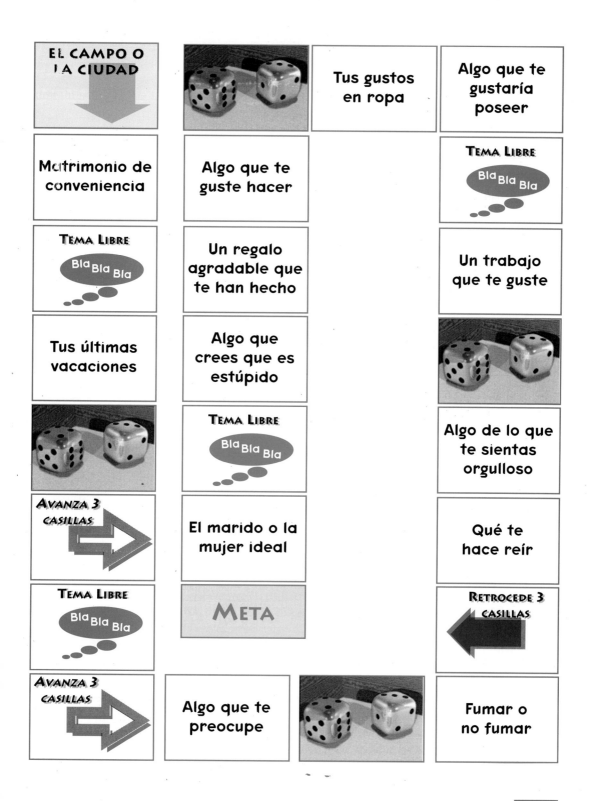

EL CAMPO O LA CIUDAD		Tus gustos en ropa	Algo que te gustaría poseer
Matrimonio de conveniencia	Algo que te guste hacer		**TEMA LIBRE** Bla Bla Bla
TEMA LIBRE Bla Bla Bla	Un regalo agradable que te han hecho		Un trabajo que te guste
Tus últimas vacaciones	Algo que crees que es estúpido		
	TEMA LIBRE Bla Bla Bla		Algo de lo que te sientas orgulloso
AVANZA 3 CASILLAS	El marido o la mujer ideal		Qué te hace reír
TEMA LIBRE Bla Bla Bla	META		RETROCEDE 3 CASILLAS
AVANZA 3 CASILLAS	Algo que te preocupe		Fumar o no fumar

¿Y Tú Lo Sabes?

Destrezas: Expresión oral, comprensión lectora, comprensión auditiva.

Objetivo comunicativo: Formular y contestar preguntas.

Objetivo gramatical: Pronombres interrogativos; presente de Indicativo.

Nivel: Intermedio y avanzado.

Material: Fotocopias de fichas.

Desarrollo: El profesor reparte a cada alumno una ficha que se encuentra dividida en dos partes: TÚ SABES LO SIGUIENTE, que consta de tres informaciones que el alumno conoce, y TÚ QUIERES SABER, que son las tres que no conoce y que debe averiguar preguntándoselo a los compañeros. El juego lo comienza un alumno que debe preguntarle a otro si sabe una de las informaciones que le faltan. Si le contesta correctamente, anota la respuesta y puede continuar preguntando a ese o a otro compañero. Si no es así, pasa el turno a ese otro alumno. Gana el que primero consiga todas las informaciones. Las fichas podrían ser como las siguientes:

1

SABES LO SIGUIENTE:

- Si mides la distancia alrededor del pie de un elefante y lo doblas, sabrás aproximadamente su peso.
- Una serpiente puede arrastrarse sobre una hoja de afeitar sin cortarse.
- Normalmente puedes decir si una persona es zurda o diestra sabiendo qué pie introduce primero en los pantalones.

QUIERES SABER:

- Cómo dan la bienvenida en Tibet a sus invitados.
- Quién diseñó la bandera de Italia.
- Qué es bastante normal ver en Dinamarca.

2

SABES LO SIGUIENTE:

- Esquilo, escritor griego, murió cuando, según cuenta la leyenda, un águila arrojó una tortuga sobre su cabeza.
- En la Grecia Antigua la edad de la mujer se contaba a partir del primer año de casada.
- Finlandia fue el primer país que nombró a una mujer Primer Ministro del Parlamento en 1907.

QUIERES SABER:

- Cómo se sabe si un mosquito es macho o hembra.
- Qué hace un gorila cuando se enfada.
- Cuándo y dónde se hicieron obligatorias las licencias de conducir.

3

SABES LO SIGUIENTE:

- Si comes chicle cuando pelas cebollas no llorarás.
- Es imposible mantener abiertos los ojos mientras se estornuda.
- Las gaviotas beben agua del mar.

QUIERES SABER:

- Cuánto tiempo pasa un bebé recién nacido llorando.
- Una manera curiosa de averiguar el peso aproximado de un elefante.
- Cuánto tiempo puede estar una serpiente pitón sin comer.

4

SABES LO SIGUIENTE:

- Puedes averiguar si un mosquito es macho o hembra dejándolo posar sobre tu piel. Si te pica es hembra.
- Justo antes de ser alcanzado por un rayo todo el pelo de tu cabeza se pone de punta.
- La bandera de Italia fue diseñada por Napoleón Bonaparte.

QUIERES SABER:

- Qué es imposible mantener abierto mientras se estornuda.
- Si las gaviotas beben agua de mar.
- Por qué en la Grecia Antigua era muy difícil saber qué edad tenía una mujer.

5

SABES LO SIGUIENTE:

- La gente de Islandia aparece en el listín telefónico por su nombre y no por su apellido.
- Las primeras licencias de conducir se hicieron obligatorias en París en 1893.
- Las ovejas negras comen menos que las ovejas blancas porque son menos numerosas.
- No es difícil ver a una mujer fumando un puro en Dinamarca.

QUIERES SABER:

- Qué te ocurre justo antes de que te alcance un rayo.
- Cómo suelen dormir los delfines.
- Qué animal no puede saltar.

6

SABES LO SIGUIENTE:

- Qué hace un gorila cuando se enfada.
- En el Tibet cuando llegan huéspedes a una casa tienen que darles la bienvenida sacándoles la lengua.
- Un bebé recién nacido pasa aproximadamente 113 minutos al día llorando.

QUIERES SABER:

- Por qué las ovejas negras comen menos que las blancas.
- Qué criatura puede arrastrarse encima de una hoja de afeitar sin cortarse.
- Cómo murió el famoso escritor griego Esquilo.

MODIFICA EL DIÁLOGO

Destrezas: Expresión oral, expresión escrita.

Objetivo comunicativo: Mantener una conversación.

Objetivo gramatical: Expansión de textos; reglas gramaticales y normas pragmáticas en la interacción oral.

Nivel: Intermedio y avanzado.

Material: Una copia del diálogo.

Desarrollo: Se reparte a cada alumno una copia de un diálogo en el que deberán sustituir los monosílabos y las respuestas breves por frases más largas.

– ¡Hola!	– Nada	– Ahí
– ¡Hola!	– ¿Quieres algo?	– ¿Cuántos años tiene?
– ¿Qué tal estás?	– No	– 30
– Bien	– ¿Quién es ése?	– ¿Está casado?
– ¿Dónde estabas?	– Juan	– Sí
– Aquí	– ¿Dónde vive?	– ¿Y tú?
– ¿Qué hacías?	– En Gijón	– También
	– ¿Dónde trabaja?	

Nota: Debe dejarse claro a los alumnos que no se trata de escribir una oración completa repitiendo las palabras de la pregunta, por ejemplo: ¿Quieres algo?- No, no quiero nada. Esto sólo les llevaría a conseguir una actuación lingüística mecánica tipo estímulo-respuesta, que en poco se parece a la comunicación real.

2. COMPETENCIA DISCURSIVA

2.2.
TEXTOS ESCRITOS

Despropósitos Encadenados

Destrezas: Expresión oral, expresión escrita.

Objetivo comunicativo: Relatar hechos en el presente o en el pasado.

Objetivo gramatical: Uso de los tiempos del pasado.

Nivel: Elemental, intermedio, avanzado.

Material: Ninguno.

Desarrollo: La actividad consiste en inventar una historia en grupo dando a los alumnos las siguientes instrucciones sobre la estructura del relato:

1. *La* + adjetivo
2. Personaje femenino, profesión...
3. *Se encuentra a* + adjetivo masculino
4. Personaje masculino, profesión...
5. Un lugar de encuentro
6. Una acción común
7. *Ella le dice: ...*
8. *Él le contesta: ...*
9. *Y al final*, conclusión en una frase

La actividad puede realizarse de dos maneras: en grupos de nueve, cada alumno escribe una frase y después en la puesta en común cada uno lee su frase por orden para conseguir una historia disparatada.

Otra manera de proceder es que cada alumno tenga un grupo de ocho papeles. En el primero todos escriben su frase, la ponen debajo del resto de los papeles y le pasan el montón al compañero de la derecha, que escribe en el primer papel la frase correspondiente al n° 2 y así hasta completar la historia. Al final todos los alumnos tienen un montón de ocho hojas con ocho frases escritas en común. Deberán leerlas para toda la clase.

VARIANTE:

SIN SENTIDO:
Cada alumno tiene ocho fichas en las que va a contar una historia en pasado. El profesor les explica que en cada una de ellas deberán anotar un dato de esa historia imaginada, respondiendo a:

- **Quién (él o ella)**
- **Dónde**
- **Cuándo**
- **Qué pasó**
- **Por qué**
- **Pequeño desarrollo del problema**
- **Conclusión o solución**

Todo el grupo va contestando las fichas al mismo tiempo y se van poniendo en el último lugar del montón. Después se pasan en bloque al compañero de la derecha, quien anota el siguiente dato de la historia.

EL CLUB DE LOS NACIDOS CANSADOS

Destrezas: Expresión oral, expresión escrita, comprensión lectora, comprensión auditiva.

Objetivo comunicativo: Dar órdenes.

Objetivo gramatical: Practicar el Imperativo afirmativo y negativo con dosis de imaginación.

Nivel: Intermedio y avanzado.

Material: Fotocopias del texto El club de los nacidos cansados.

Desarrollo: Se presenta a los alumnos un club muy especial, el de los nacidos cansados. Posteriormente se leen en voz alta sus normas y se insta a los alumnos a que formen ellos mismos algún club especial y escriban sus reglas, utilizando fundamentalmente formas de imperativo afirmativo y negativo.

CLUB DE LOS NACIDOS CANSADOS

1. No hagas tú lo que puedan hacer los demás.
2. El trabajo es sagrado. No lo toques.
3. No olvides que se nace cansado y se vive para descansar.
4. Ama a tu cama como a ti mismo.
5. Descansa durante el día, para dormir por la noche.
6. Si ves a alguien que descansa, ayúdale.
7. El trabajo es fatiga. Recuérdalo.
8. No hagas hoy lo que puedas hacer mañana.
9. Haz lo menos que puedas, y si tienes que hacer algo, haz que te lo hagan los demás.
10. Nunca ha muerto nadie por descansar demasiado.
11. Cuando te vengan ganas de trabajar, siéntate, reflexiona, serénate y espera a que se te pasen.

Si la clase es numerosa los alumnos pueden formar pequeños grupos –no más de cuatro por grupo–, si no, puede hacerse por parejas. El profesor puede proponer algunas ideas:

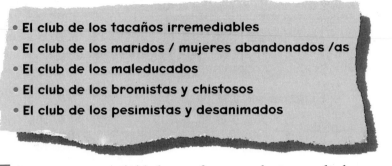

- El club de los tacaños irremediables
- El club de los maridos / mujeres abandonados /as
- El club de los maleducados
- El club de los bromistas y chistosos
- El club de los pesimistas y desanimados

Sugerencias: Aunque es una actividad que ofrece excelentes resultados para la práctica de las formas de imperativo puede prescindirse de esta orientación gramatical y dejar libertad completa a la creatividad de los alumnos.

QUIEN NO SE ANUNCIA NO VENDE

Destrezas: Expresión oral, expresión escrita, comprensión lectora, comprensión auditiva.

Objetivo comunicativo: Mostrar acuerdo o desacuerdo; argumentar; aconsejar; persuadir.

Objetivo gramatical: Imperativo; colocación de referentes pronominales de complemento directo y de complemento indirecto; condicionales; valores sustantivos del infinitivo.

Nivel: Intermedio y avanzado.

Material: Fotocopia de diversos anuncios publicitarios.

Desarrollo: Se da a los alumnos una fotocopia en la que aparezcan recogidos distintos eslóganes publicitarios. Por parejas o en pequeños grupos deben decidir qué tipo de producto se quiere vender con cada uno. Deben justificar su decisión explicando de manera contextualizada el eslogan. Finalmente, en parejas o en pequeños grupos deben inventar un eslogan y presentarlo al resto de los compañeros para que éstos intenten deducir qué clase de producto o servicio se está ofreciendo.

VARIANTE:

EL ANUNCIO OCULTO: Se entrega a los alumnos el texto de un anuncio publicitario de la prensa escrita al que previamente se han quitado algunas palabras. En parejas o en pequeños grupos deben completar el texto libremente eligiendo el tipo de producto o servicio que quieran vender. Una vez leídos todos, se les presenta el texto original completo.

Os proponemos el anuncio de la ginebra Tanqueray

Todos tenemos _____ . Pero
no todos vemos las mismas cosas. Ni siquiera
_____ . Hay quien ve
hombre, coche, árbol y quien ve_____
_____
_____. A quienes viven así se
les acaba llamando _____ . Y si tienen
éxito, _____.
Una _____ . Sí, ¿y qué?

_____ . ABRE LOS OJOS

Texto original completo:

Todos tenemos dos ojos. Pero no todos vemos las mismas cosas. Ni siquiera las vemos
de la misma manera. Hay quien ve hombre, coche, árbol y quien ve mujeres azules, ele-
fantes en las nubes y un ojo encima de otro ojo. A quienes viven así se les acaba llamando locos. Y si tienen éxito, genios.

Una ginebra verde. Sí, ¿y qué?

TANQUERAY. ABRE LOS OJOS

RECONSTRUYENDO LA HISTORIA

Destrezas: Expresión escrita, comprensión lectora, comprensión auditiva.

Objetivo comunicativo: Mostrar acuerdo o desacuerdo; colaborar con los compañeros para ordenar un texto.

Objetivo gramatical: Trabajar y revisar los nexos como marcas de cohesión formal y trabajar los mecanismos para conseguir la coherencia semántica.

Nivel: Elemental, intermedio y avanzado.

Material: Fotocopias de un diálogo o de una historia.

Desarrollo: Una anécdota o una historia breve se corta en grupos de palabras, oraciones o en pequeños párrafos. Se mezclan todos y se da a cada alumno –a cada pareja o a pequeños grupos– una tira. Los alumnos van leyendo por turnos la parte que les ha correspondido y después tratan de ordenar la historia.

Sugerencias: También se puede dar toda la historia desordenada en una hoja numerando los párrafos o cambiando el orden lógico de las palabras de cada oración. Los alumnos tendrán unos minutos para reconstruirla de forma adecuada según las leyes de la cohesión formal y de la coherencia semántica.

En niveles iniciales se pueden dar desordenados pequeños diálogos que los alumnos tendrán que recomponer adecuadamente. Para el nivel intermedio y avanzado proponemos dividir en párrafos el siguiente relato de Juan José Millás, y después reordenarlos.

"El Infierno"

Estabamos enterrando a un amigo, cuando un teléfono móvil interrumpió con su sonido la grave ceremonia. Tras un breve intercambio de miradas reprobatorias, comprendimos que el ruido procedía del cadáver, cuyo féretro había sido abierto para que el finado recibiera el último adiós. La viuda, con más inconsciencia que valor, se inclinó sobre el muerto y sacó el teléfono de uno de los

bolsillos de la chaqueta. "Diga", pronunció dolorosamente. No sabemos qué escuchó al otro lado, pero la vimos palidecer y gritar enseguida: "Fernando falleció ayer y usted es una zorra que ha destruido nuestro hogar". Dicho esto, interrumpió la comunicación y devolvió el artefacto a su lugar.

Al abandonar el cementerio, supe por alguien de la familia que había sido deseo del propio Fernando ser enterrado con su móvil, lo que constituyendo una excentricidad perfectamente afín a su carácter, me devolvía una imagen menos grata y oscura, de quien sin duda había sido una de las referencias más importantes de mi vida. Como es costumbre me dirigí en compañía de los más íntimos

a casa de la viuda, para darle consuelo. Ella nos ofreció café, que estábamos saboreando mientras hablábamos de cosas intrascendentes, cuando sonó el teléfono. Tras unos segundos de terror, los presentes alcanzamos un acuerdo tácito: nadie había oído nada, ningún sonido de ultratumba se había colado en aquella reunión de amigos. Después de diez o doce llamadas, el aparato enmudeció y la propia viuda se levantó a descolgarlo. "No estoy para pésames", dijo.

Aquella noche, a la hora en la que los insomnes suelen descabezar un sueño, me levanté, fui al teléfono y marqué el número del móvil de Fernando. Lo cogieron al primer pitido, pero colgué antes de escuchar ninguna voz. Sólo quería comprobar que el infierno existía.

(Juan José Millás, *Cuentos a la intemperie*, Madrid, Acento Editorial, 1997)

CUÉNTANOS TU VERSIÓN

Destrezas: Expresión oral, expresión escrita, comprensión auditiva.

Objetivo comunicativo: Describir.

Objetivo gramatical: Usos de *ser* y *estar*.

Nivel: Intermedio y avanzado.

Material: Fotocopias de la historia.

Desarrollo: Cada alumno debe escribir su versión de una misma historia, cuyos elementos básicos son:

- *Vas caminando por un bosque* (descríbelo).
- *Entonces te encuentras agua* (descríbela).
- *¿Qué te hace sentir el agua y qué haces con ella?*
- *Después encuentras una llave* (descríbela y di qué haces con ella).
- *Al final del bosque hay una barrera* (¿cómo es? ¿qué hay al otro lado?).

Cuando todo el mundo haya escrito su historia, el profesor revela cómo ha de ser interpretada y se dará lectura a todas ellas:

- El bosque indica la actitud o los puntos de vista que adopta cada uno ante la vida.
- El agua = sexo.
- La llave = éxito y ambiciones que se pueden alcanzar.
- La barrera = muerte.
- La vista del otro lado = la vida del más allá.

LA CIENCIA MODERNA

Destrezas: Expresión oral, expresión escrita, comprensión auditiva.

Objetivo comunicativo: Expresar una opinión; dar razones y justificar.

Objetivo gramatical: Oraciones sustantivas con Indicativo o Subjuntivo: *(no) creo que, me parece que....*

Nivel: Intermedio y avanzado.

Material: Ninguno.

Desarrollo: Los alumnos han de suponer que un científico ha inventado dos tipos de droga. La primera te hace recordar todo lo que te ha sucedido a lo largo de tu vida y la segunda te lo hace olvidar todo. Deben decidir cuál de las dos eligirían argumentando por qué. He aquí algunos ejemplos de nuestros alumnos:

Algunos preferían:

- No olvidar levantarse todas las mañanas.
- No olvidar nunca nada de lo que ha aprendido en clase de español.
- Recordar siempre la fecha de cumpleaños de su novia.

Otros, en cambio, preferían:

- No recordar las derrotas de su equipo de fútbol.
- No recordar que su primera novia le dejó por su mejor amigo.
- Olvidarse de que tiene que volver a Alemania y ¡él quiere quedarse en España!
- Tener mala memoria para olvidar las ingratas tareas domésticas.

LAS FOTOS DE MI VIDA

Destrezas: Expresión oral, expresión escrita.
Objetivo comunicativo: Contar una historia.
Objetivo gramatical: Los tiempos del pasado.
Nivel: Intermedio y avanzado.
Material: Un buen número de fotografías variadas.

Desarrollo: El profesor expone en su mesa un buen número de fotos que ha recortado de revistas, intentando que sean lo más variadas posibles (deben aparecer personas, grupos, bodas, funerales, lugares de vacaciones, profesiones, animales, coches, objetos...). Los alumnos escogen un mínimo de cinco fotos y las utilizan para contar la historia imaginaria de su vida o de la vida de otra persona.

Sugerencias: Para grupos de nivel intermedio se puede realizar la misma actividad pero en parejas o en pequeños grupos.

Os proponemos algunas variantes más con materiales fotográficos:

FOTOS Y PREGUNTAS: El profesor repartirá a cada alumno una fotografía.

Los estudiantes deberán escribir diez preguntas que resultaría interesante conocer sobre el personaje de la foto. Después intercambiarán fotos y preguntas con el compañero de la derecha y completarán la actividad.

MONÓLOGO INTERIOR: Los alumnos irán a la mesa del profesor donde

éste habrá expuesto varias fotografías (al menos, una por cada alumno). Deberán escoger una y escribir un monólogo interior que supuestamente desarrollaría la persona de la foto.

Después se recogen todas las fotos y se exponen a la vista de toda la clase. En la puesta en común, deberán leer los monólogos y los otros compañeros tendrán que adivinar la foto a la que corresponde cada uno de ellos.

Sugerencias: Las fotos pueden ser de personajes famosos reales o imaginarios –como Superman o Indiana Jones–, fotos de animales, casas, frutas... que pueden hacer más divertida la actividad.

TROVADORES Y JUGLARES

Destrezas: Expresión oral, expresión escrita, comprensión lectora, comprensión auditiva.

Objetivo comunicativo: Mostrar acuerdo o desacuerdo.

Objetivo gramatical: Sonidos y rimas; tiempos del pasado.

Nivel: Avanzado.

Material: Fotocopias de los poemas incompletos.

Desarrollo: Se dan a los alumnos fotocopias que contengan fragmentos de dramas clásicos o de poemas, a los que previamente se han borrado algunas rimas. En un tiempo determinado cada grupo o pareja debe recomponer tratando de adivinar la rima. Al final se hace una lectura común y se elige la más graciosa, la más poética o la más literaria.

Os proponemos dos sonetos de Garcilaso de la Vega (señalamos en cursiva las palabras que se podrían omitir).

"Si para refrenar este *deseo*
loco, imposible, vano, *temeroso*,
y guarecer de un mal tan *peligroso*,
que es darme a entender yo lo que no *creo*,

no me aprovecha verme cual me *veo*,
o muy venturado o muy *medroso*,
en tal confusión, que nunca *oso*
fiar el mal de mí que lo *poseo*,

¿qué me ha de aprovechar ver la *pintura*
de aquel que con las alas *derretidas*
cayendo, fama y nombre al mar *ha dado*,

y la del que su fuego y su *locura*
llora entre aquellas plantas *conocidas*,
apenas en el agua *resfriado?*"

(Garcilaso de la Vega)

"A Dafne ya los brazos le *crecían*,
y en luengos ramos vueltos se *mostraban*;
en verdes hojas vi que se *tornaban*
los cabellos que el oro *oscurecían*.

De áspera corteza se *cubrían*
los tiernos miembros, que aún bullendo *estaban*;
los blancos pies en tierra se *hincaban*,

y en torcidas raíces se *volvían*.
Aquel que fue la causa de *tal daño*,
a fuerza de llorar, crecer *hacía*
el árbol que con lágrimas *regaba*.

¡Oh miserable estado, oh mal *tamaño!*
¡Que con llorarla cresca cada *día*
la causa y la razón por que *lloraba!*"

(Garcilaso de la Vega)

Sugerencias: Con este soneto de Garcilaso trabajamos fundamentalmente el Imperfecto.

LA HISTORIA INTERMINABLE

Destrezas: Expresión oral, expresión escrita.

Objetivo comunicativo: Relatar hechos en pasado con cohesión y coherencia.

Objetivo gramatical: Uso de los tiempos del pasado y de los conectores.

Nivel: Intermedio y avanzado.

Material: Tarjetas o tiras de papel con diferentes verbos en infinitivo.

Desarrollo: Cada alumno recibe una tarjeta con un verbo en infinitivo. El profesor comienza escribiendo en la pizarra unas frases. Después, el primer alumno debe continuar escribiendo la historia intentando introducir su verbo en el tiempo y el modo adecuados. Se continúa hasta que todos los alumnos hayan participado. Lógicamente, la historia resultante debe presentar cierta coherencia aunque sea fantástica.

VARIANTE:

LA HISTORIA ENCADENADA: Cada estudiante recibe un papel con un

nombre, un verbo, un adjetivo o un adverbio. El profesor/a empieza con la primera frase de la historia: *Era una tormentosa noche de noviembre...*

Un alumno continuará la historia con una o dos frases en las que incluya su palabra. Y así hasta que todos hayan colaborado en esta creación múltiple.

Sugerencias: Cada estudiante puede recibir, además de la palabra, un número que indica el lugar en el que debe intervenir para continuar la historia.

POLINOMIO FANTÁSTICO

Destrezas: Expresión oral, expresión escrita, comprensión lectora, comprensión auditiva.

Objetivo comunicativo: Contar una historia.

Objetivo gramatical: Tiempos del pasado.

Nivel: Intermedio y avanzado.

Material: Ninguno.

Desarrollo: Al azar se pide a seis alumnos que digan cada uno una palabra en español. Puede ser un sustantivo, un adjetivo, un verbo o un adverbio. Se toma nota de ellos y tienen que inventar una historia en la que entren esas seis palabras en cualquier orden.

VARIANTE:

LA CAJA MÁGICA: El profesor lleva al aula una caja conteniendo un grupo de objetos variados. Se sacan seis y se inventa un relato en el que aparezcan todos ellos.

¿DÓNDE ESTOY?, ¿QUÉ SOY?

Destrezas: Expresión oral, comprensión auditiva.

Objetivo comunicativo: Hablar de la profesión, nombrar objetos, ...

Objetivo gramatical: Verbo *ser*; Vocabulario de *profesiones, alimentos, animales...*

Nivel: Elemental, intermedio.

Material: Carteles.

Desarrollo: Se coloca a cada alumno un cartel en la espalda con el nombre de un lugar (*Madrid, una discoteca, una biblioteca...*), con el nombre de una profesión, con el nombre de una cosa (*una manzana, un calcetín sucio...*). Tienen que adivinar qué son o dónde están, preguntándoselo a los demás. Por ejemplo, *un pingüino, una lavadora estropeada, un espejo roto, una discoteca llena de gente, un destornillador...*

LA HISTORÍA MISTERIOSA

Destrezas: Expresión oral, expresión escrita, comprensión lectora, comprensión auditiva.

Objetivo comunicativo: Redactar y contar una historia; formular preguntas.

Objetivo gramatical: Tiempos del pasado; pronombres interrogativos.

Nivel: Intermedio y avanzado.

Material: Ninguno.

Desarrollo: Es un falso juego, adaptado de una actividad de animación de grupos que sirve para practicar los tiempos del pasado, ejercitar la memoria...

El juego consiste en que, tras elegir a dos parejas de alumnos que deben salir fuera del aula, el profesor explica al resto de la clase que cuando entren se les va a decir que deben reconstruir la historia de un crimen; un compañero les dirá que uno de ellos ha sido asesinado y que deben averiguar qué pasó, pero que sólo pueden contestarles *sí* o *no*.

El truco del juego está en que no existe historia: los alumnos contestan a las preguntas, afirmativamente cuando la pregunta termina en vocal y negativamente cuando acaba en consonante. Después de que están claras las reglas, se manda entrar a una de estas parejas y se les explica la situación, advirtiéndoles que deben hacer preguntas y después redactar la historia, para lo cual deberán ir tomando notas de los datos que vayan adivinando.

TRABAJOS MILAGROSOS

Destrezas: Expresión oral, expresión escrita, comprensión lectora, comprensión auditiva.

Objetivo comunicativo: Redactar una solicitud de empleo.

Objetivo gramatical: Presente de Indicativo; Pretérito perfecto; Pronombres relativos.

Nivel: Intermedio y avanzado.

Material: Ninguno.

Desarrollo: Los alumnos tienen que suponer que tratan de encontrar empleo en una empresa que sólo admite un tipo muy especial de trabajadores: aquéllos que posean unas dotes excepcionales.

Por parejas, los alumnos tendrán que elaborar una solicitud dirigida al jefe de personal de la empresa explicando detalladamente qué tipo de trabajo "milagroso" son capaces de realizar. Se leen todos en voz alta y se eligen los tres más interesantes o más divertidos.

Han contratado ya a personas como:

- **La Dra. Doña Clari Vidente, capaz de adivinar lo que se desee saber sobre el futuro y excelente maestra de las técnicas de adivinación.**

- **El profesor Don Clemente Abierta y su esposa Doña María Prendiendo, expertos en el desarrollo de la inteligencia, que ayudan a cualquiera a potenciar las posibilidades inexploradas del cerebro multiplicando la capacidad de memoria y de aprendizaje.**

- **El Doctor Armando Cuerpos, especialista en cirugía estética, capaz de variar el peso y de conseguir la apariencia con la que cada uno ha soñado siempre.**

- **La Doctora Doña Marta Cones, capaz de conseguir con métodos naturales que se alcance la altura ideal de acuerdo con el peso y la complexión.**

- **El profesor Don Jaime Rendando, quien tras laboriosos experimentos ha conseguido elaborar unas pastillas que tomadas antes de las comidas impiden que se engorde sea cual sea el tipo de alimento que se tome.**

- **Doña Luisa Tisfecha, doctora en psicología, ha desarrollado un programa de control mental que permite a quien lo sigue sentirse plenamente satisfecho y realizado con la vida que lleva.**

NO TE RÍAS QUE ES PEOR

Destrezas: Expresión oral, comprensión lectora.

Objetivo comunicativo: Trabajar la ironía.

Objetivo gramatical: Conexiones semánticas y nexos sintácticos; entonación.

Nivel: Intermedio y avanzado.

Material: Fotocopias de los chistes.

Desarrollo: Se entrega a cada alumno una fotocopia con varios chistes a los que se les ha quitado la última frase. Todas ellas aparecen agrupadas al final. La tarea consistirá en relacionar cada uno con su frase correspondiente.

1:

- Juan lleva la cara llena de sangre y de moratories y se encuentra con un amigo que le pregunta:
    - *¿Qué te ha pasado que llevas esa cara?*
    - *Es que vengo de enterrar a mi suegra .* –Contesta Juan.
    - *¿Y eso que tiene que ver?* Pregunta extrañado el amigo.
    - _____

2:

- Mientras camina hacia el cementerio, Gustavo ve a un hombre llorando y le sigue para consolarle. Los dos se detienen ante una tumba y el hombre rompe a gemir histéricamente:
    - *¿Por qué te tuviste que morir?, ¿por qué? ¿Por qué?*

Como Gustavo es una persona de buen corazón decide consolarle y le pregunta:

- *Me disgusta verle tan desesperado. ¿El difunto era un familiar muy cercano? ¿Quizás su hermano, o su primo?*

El hombre deja de llorar durante un momento y replica:

- _____

3:

- Un padre llama a su hijo de 11 años y le habla en tono solemne:
    - *Hijo, ya tienes edad suficiente y ha llegado el momento de que hablemos de hombre a hombre sobre los temas sexuales.*
    - _____

4:

- Una mujer casada desde hace un año visita a su madre "luciendo" un ojo morado.
    - *Hija, ¿qué te ha pasado?, ¿quién te ha puesto ese ojo así?*
    - *Mi marido.*
    - *¿Tu marido? Pero, hija, si yo creía que tu marido estaba de viaje...*
    - _____

5:

- Un médico le dice a su paciente:
    - *Escúcheme bien amigo mío: su salud no es muy buena. De hoy en adelante va a tomar muy poco alcohol y como máximo cinco cigarrillos al día. ¿Y cómo anda sexualmente?*
    - *Tres veces por semana, doctor: lunes, miércoles y viernes*
    - El médico le responde: *El miércoles tendrá que borrarlo de la lista.*
    - _____

A:
– Me parece muy bien, papá... ¿Qué quieres que te explique?

B:
– Es que ella no quería.

C:
– ¡IMPOSIBLE! ¡Es el único día que estoy en casa... ¡Mi esposa me mataría!

D:
– ¡Si no le he visto en mi vida... Pero era el primer marido de mi mujer!

E:
– ¡Yo también, mamá! ¡yo también!

HISTORIAS ENCADENADAS

Destrezas: Expresión oral, expresión escrita, comprensión lectora, comprensión auditiva.

Objetivo comunicativo: Relatar una historia en el pasado; hacer deducciones.

Objetivo gramatical: Tiempos del pasado; marcas de cohesión y coherencia.

Nivel: Intermedio y avanzado.

Material: Fotocopias de los textos.

Desarrollo: El profesor antes de comenzar la actividad escribe en la pizarra la frase del célebre cuento de A. Monterroso: *"Cuando despertó, el dinosaurio seguía allí"*.

En grupos de cuatro se irá escribiendo una historia de forma encadenada, es decir, cada alumno irá añadiendo una frase al cuento. El final de la historia colectiva debe ser la frase que el profesor escribió en la pizarra.

Sugerencias: En lugar del final, la frase de A. Monterroso puede ser el comienzo del cuento.

VARIANTE:
LITERATURA FANTÁSTICA, FANTÁSTICA LITERATURA:

Se entrega los alumnos varios textos breves de literatura fantástica a los que se les ha suprimido el final. En parejas o en pequeños grupos tendrán que inventar un final "efectista". Una vez leídas todas las aportaciones de los grupos, el profesor les dará los textos originales completos.

Os proponemos algunas historias interesantes tomadas de la *Antología de la literatura fantástica* de J.L. Borges, A. Bioy Casares y S. Ocampo:

"Al caer la tarde, dos desconocidos se encuentran en los oscuros corredores de una galería de cuadros. Con un ligero escalofrío, uno de ellos dijo:

– Este lugar es siniestro. ¿Usted cree en los fantasmas?

– Yo no –respondió el otro– ¿Y usted?

– **Yo sí –dijo el primero y desapareció"** (P. 153)

(George Loring Frost)

"Una mujer está sentada sola en su casa. Sabe que no hay nadie más en el mundo: todos los seres humanos han muerto. **Golpean a la puerta**" (P. 22)

(Thomas Bailey Aldrich)

"Un joven jardinero persa dice a su príncipe:

– ¡Sálvame! Encontré a la Muerte esta mañana. Me hizo un gesto de amenaza. Esta noche, por milagro, quisiera estar en Ispahan.

El bondadoso príncipe le presta sus caballos. Por la tarde, el príncipe encuentra a la Muerte y le pregunta:

– Esta mañana ¿por qué hiciste a nuestro jardinero un gesto de amenaza?

– **No fue un gesto de amenaza –le responde– sino un gesto de sorprersa. Pues lo veía lejos de Ispahan esta mañana y debo tomarlo esta noche en Ispahan"** (P. 122)

(Jean Cocteau)

– ¡Qué extraño! –dijo la muchacha avanzando cautelosamente–. ¡Qué puerta más pesada! (La tocó al hablar, y se cerró de pronto, con un golpe).

– ¡Dios mío! –dijo el hombre–. Me parece que no tiene picaporte del lado de adentro. ¡Cómo nos ha encerrado a los dos!

– A los dos no. A uno solo –dijo la muchacha.

Pasó a través de la puerta y desapareció." (P. 169)

(I. A. Ireland)

Nota: Aparecen en negrita las frases que se pueden suprimir para que los alumnos inventen un final

SIN LA "E"

Destrezas: Expresión oral, expresión escrita, comprensión lectora, comprensión auditiva.

Objetivo comunicativo: Relatar una historia.

Objetivo gramatical: Tiempos del pasado; marcas de cohesión y coherencia.

Nivel: Intermedio y avanzado.

Material: Texto de Jardiel Poncela.

Desarrollo: Los alumnos, en pequeños grupos o en parejas, deberán redactar un texto que no contenga la vocal *e*. Después se leerán todos en voz alta. Como ejemplo puede leerse antes el siguiente texto de Jardiel Poncela:

Un otoño –muchos años atrás– cuando más olían las rosas y mayor sombra daban las acacias, un microbio muy conocido atacó rudo, voraz a Ramón Camomila: la furia matrimonial.

– ¡Hay un matrimonio próximo, pollos! –advirtió como saludo su amigo Manolo Romagoso cuando subían juntos al casino y toparon con los camaradas más íntimos.

– ¿Un matrimonio?

– Un matrimonio, sí –corroboró Ramón

– ¿Tuyo?

– Mío

– ¿Con una muchacha?

– ¡Claro! ¿Iba a anunciar mi boda con un cazador furtivo?

– ¿Y cuándo ocurrirá la cosa?

– Lo ignoro

– ¿Cómo?

– No conozco aún a la novia. Ahora voy a buscarla...

Y Ramón Camomila salió como una bala a buscar novia por la ciudad.

A las dos horas conoció a Silvia, una chica algo rubia, algo baja, algo gorda, algo sosa, algo rica, algo idiota; hija única y suscriptora contumaz de "La moda y la Casa" (publicación para muchachas sin novio).

Y al año, todos los amigos fuimos a la boda.

Sugerencias: Se puede facilitar la actividad si permitimos dos fallos, es decir, se pueden escribir dos palabras que contengan la letra prohibida. Gana el grupo que construye la frase o la historia más divertida, o que logre un texto sin ningún fallo.

EXPLICACIONES CONVINCENTES

Destrezas: Expresión oral, expresión escrita, comprensión lectora, comprensión auditiva.

Objetivo comunicativo: Justificarse; dar explicaciones.

Objetivo gramatical: Los tiempos del pasado.

Nivel: Intermedio y avanzado.

Material: Fichas.

Desarrollo: Los alumnos se agrupan de dos en dos. El profesor reparte fichas –una a cada pareja– en las que ha escrito una situación absurda para la que se debe buscar una explicación lo más convincente posible. Se dejan quince o veinte minutos para que redacten la justificación y finalmente se leen todas en voz alta.

Por ejemplo:

- Llegas a clase con el pelo teñido de verde.
- Apareces descalzo y con los dedos de los pies vendados el último día de clase.
- Te han visto esta mañana entrar en tu casa por la ventana.
- El domingo viste al profesor vendiendo lechugas en el mercado.
- Ayer te vieron por la calle vestido de romano.
- Llegas a clase con tres bebés.
- Te han visto rompiendo la máquina de café de la Facultad.
- Vieron a tu hermano sentado encima del coche en la autopista.
- Te vieron por la calle llevando un maniquí.
- Ayer arrojaste a tu perro por la ventana.
- El fin de semana pasado te vieron salir de una alcantarilla.

Sugerencias: Antes de iniciar el trabajo de redacción puede leerse como ejemplo el siguiente texto en clave de humor de Gomaespuma en el que se da una explicación de por qué siempre desaparece algún calcetín dentro de la lavadora.

Epístola del Guru Gú, Calcetinarum reencarnatis suma mecheris

Muchas veces nos hemos preguntado al encontrarnos de pronto en el bolsillo del pantalón un mechero, que jamás habíamos comprado, qué de dónde habría salido. Otras muchas nos ha pasado que al hacer una limpia en un armario nos hemos topado en un cajón con una llave que no encaja en ninguna de nuestras cerraduras, o hemos visto en la estantería del cuarto de nuestros hijos un libro que nosotros no les hemos proporcionado y que ellos, al no disponer aún de dinero, no han podido adquirir. Pues bien, esto obedece a la reencarnación. Estos objetos no son otros que los calcetines desaparecidos en la lavadora reencarnados en diferentes útiles. Sabed que el calcetín, cumplida la creación para la que el creador los puso en el mundo, muere y vuelve a la materia en forma de objeto; pues no es otra la vocación de los calcetines que la de servir al ser humano en cualquiera de las formas que adoptare.

(Gomaespuma, *Familia no hay más que una*, p. 181)

ENIGMAS

Destrezas: Expresión oral, comprensión auditiva.

Objetivo comunicativo: Formular preguntas; hacer deducciones.

Objetivo gramatical: Pronombres interrogativos.

Nivel: Intermedio y avanzado.

Material: Fotocopia de los enigmas.

Desarrollo: El profesor agrupa a los alumnos en parejas y les dice que va a contarles una historia con un enigma. Deben escuchar muy bien porque tienen que adivinar *¿que pasó?* preguntando, pero sólo pueden contestar *sí* o *no*.

ENIGMA 1:

- En una habitación cerrada por fuera, Marco Antonio y Cleopatra están muertos en el suelo sobre un charco de agua, mientras Julio César está saliendo por la ventana. ¿Quién los mató y cómo murieron?

Solución: Marco Antonio y Cleopatra son peces y Julio César es el gato, que tiró la pecera intentando cogerlos; con el ruido se asustó se asusto y huyó.

ENIGMA 2:

- Un negro vestido completamente de negro camina por una calle sin luces, sin farolas, va por el asfalto que es absolutamente negro. Un coche negro, sin luces viene hacia él pero hace un viraje y lo esquiva. ¿Cómo lo pudo ver el conductor?

Solución: Era de día.

ENIGMA 3:

- Un hombre que trabaja de locutor en la radio planea el asesinato de su mujer. Tiene un programa de música en directo, pero lo graba, lo conecta en la emisora y mientras empieza el programa vuelve a su casa, y mata a su mujer. Está muy contento pues tiene la coartada perfecta, pero entra en su coche, pone la radio, se pone pálido y se suicida. ¿Por qué?

Solución: En la radio están poniendo un disco rayado y nadie lo cambia.

- Los nativos de la isla de Viceversa siempre mienten y los visitantes siempre dicen la verdad.

El inspector Rodríguez está entrevistando a un grupo de gente para cubrir plazas vacantes en el cuerpo de policía. La condición más importante que deben cumplir es ser personas sinceras y veraces. Un joven le dice al inspector que la mujer a quien está a punto de entrevistar le ha dicho que es nativa. ¿Crees que este joven es apto para ser policía?, ¿por qué?

Solución: Se supone que todas las personas entrevistadas son visitantes porque los nativos mienten siempre. Si la mujer fuera nativa le habría dicho al joven que es visitante —porque los nativos mienten siempre— y si fuese visitante no le habría dicho que es nativa porque los visitantes dicen siempre la verdad. Así pues, es el joven el que está mintiendo.

Sugerencias: Si se considera necesario puede darse a cada grupo de alumnos una fotocopia con los enigmas –obviamente sin las soluciones–.

3. COMPETENCIA ESTRATÉGICA

CÓDIGO SECRETO

Destrezas: Expresión oral, expresión escrita, comprensión lectora.

Objetivo comunicativo: Preguntar sobre la pronunciación y la ortografía correcta; deletrear.

Objetivo gramatical: El alfabeto.

Nivel: Elemental e intermedio.

Material: Fotocopias con la clave secreta.

Desarrollo: Los alumnos se distribuyen en parejas o en pequeños grupos. A cada equipo se le da un papel con una clave secreta que tendrán que descifrar lo más pronto posible. El equipo que antes lo haga correctamente será el vencedor. La clave consiste en que cada letra ha sido sustituida por el número que ocupa en el alfabeto español.

19 10 6 16 22 1 / 2 10 6 16 / 1 24 16 20 24 6 / 16 18 /
13 10 6 21 23 6 22

(Piensa bien aunque no aciertes)

6 13 / 22 1 2 6 21 / 16 18 / 18 3 24 19 1 / 13 24 8 1 21 /
19 6 21 18 / 18 3 24 19 1 / 23 10 6 15 19 18

(El saber no ocupa lugar, pero ocupa tiempo)

PICTIONARIO

Destrezas: Expresión oral, comprensión auditiva.

Objetivo comunicativo: Mostrar acuerdo o desacuerdo total o parcial.

Objetivo gramatical: Trabajar vocabulario.

Nivel: Elemental, intermedio y avanzado.

Material: Fichas con palabras, lápiz y papel.

Desarrollo: El profesor lleva a clase un buen grupo de tarjetas en las que ha escrito palabras que pueden pertenecer a cuatro categorías:

a **Persona Animal Lugar**
b **Objeto** (Cosas que pueden ser tocadas o vistas)
c **Acciones** (Verbos y situaciones)
d **Difíciles** (Palabras con un grado mayor de dificultad)

Se divide a los jugadores en dos grupos y un miembro de cada equipo, por turno, escoge al azar del mazo de cartas que el profesor ha colocado boca abajo sobre la mesa y debe intentar que sus compañeros identifiquen la palabra a través de un dibujo rápido y sencillo que él diseñe. Para ello tendrán un minuto de tiempo y no se permitirá hacer gestos, ni escribir números o letras, sólo dibujos. Si el equipo acierta se anota un punto y continúa con otra tarjeta y otro jugador, pero si no lo consigue, el turno pasa al otro equipo.

Os proponemos algunos ejemplos:

Persona Animal Lugar: búho, caracol, payaso, cantante, París, ministro, cigüeña, lago, paloma, comadrona, sastre, Buenos Aires, mono, pescado, bomberos, Costa del Sol, zorro, gorila, hermano, ardilla, abogado, piloto, serpiente, pastor, esqueleto, hipódromo, ratón, Finlandia, profesor, oveja, gallo, toro, marinero, España, pescador, tigre, Canarias, patilla, cebra, ojeras, Barcelona, leñador, Polo Sur, catedral, nieto, sótano, palacio, pingüino, mar, Londres, ovni, comedor...

Objeto: chocolate, camisa, lechuga, guitarra, mástil, enchufe, grifo, huevo, cadáver, sartén, pupitre, borrador, trineo, diamante, brocha, esposas, pluma, teléfono, cuchara, bandera, gancho, trenza, disfraz, retrovisor, tubo de ensayo, zapatilla, manta, limpiaparabrisas, percha, galleta, billete, balanza, cremallera, peluca, silla de ruedas, picaporte, ensalada, chicle, chubasquero, bikini, pajarita, sacacorchos, estantería, quiniela, pañal, clavel, escalón, tocadiscos, tubería, espada, tractor...

Difíciles: cápsula, sequía, volumen, siglo, plástico, bomba atómica, media luna, miga, baraja, revistero, meta, cabizbajo, incendio, perezoso, camisa de fuerza, alma, papel higiénico, estación, jaqueca, modelo, ático, uniforme, prólogo, portada, suerte, temprano, entero, marfil, orquesta, siesta, gris, gripe, piruleta, electrodoméstico, dependiente, parachoques, turista, ligero, garganta...

Acciones: agarrar, cargar, doblar, tener prisa, pisar, robar, detener, derrumbar, levantar, rellenar, acercarse, congelar, arreglar, entrevistar, tragar, rozar, pellizcar, envejecer, participar, arbitrar, dormir, estornudar, fregar, partir, enterrar, roncar, encestar, ver, comer, rebotar, cepillar, aplaudir, dibujar, anotar, servir, mimar, derretirse, gozar, parar, llevar, esconderse, discutir, tapar, tropezar, cocinar, vomitar, medir, unir, aprender, bucear, reír, prohibir, colarse, beber, teñir...

Sugerencias: En las tarjetas, el profesor también puede escribir léxico específico de aquellos campos semánticos que más le interesen. Asimismo, se puede utilizar la actividad para la práctica de un tema gramatical concreto, por ejemplo, el imperativo (*lávate los dientes, limpia la cocina, tira la basura...*), el futuro (*aprenderé inglés, iré a Italia, compraré un coche...*), el subjuntivo (*quiero un hombre que sea rico, busco una casa que tenga tres pisos...*).

LA COPIA FIEL

Destrezas: Expresión oral, comprensión auditiva.

Objetivo comunicativo: Dar instrucciones; describir objetos y ubicarlos.

Objetivo gramatical: Imperativo; perífrasis *deber* o *tener que* + Infinitivo.

Nivel: Elemental, intermedio y avanzado.

Material: Fotocopia de un dibujo sencillo.

Desarrollo: Por parejas. Un miembro de la pareja recibe una copia de un dibujo sencillo. Deberá ir dando indicaciones detalladas a su compañero para que éste consiga una "copia" fiel del original.

Sugerencias: Proponemos que sea una combinación de dibujos geométricos o con diseños sencillos, como por ejemplo:

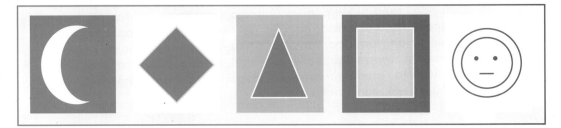

SOBRAN LAS PALABRAS

Destrezas: Expresión oral, expresión escrita.

Objetivo comunicativo: Interpretar gestos y trabajar la comunicación no verbal; expresar justificaciones; manifestar acuerdo o desacuerdo.

Objetivo gramatical: Presentes de Indicativo regulares e irregulares.

Nivel: Intermedio y avanzado.

Material: Ninguno.

Desarrollo: Los alumnos se distribuyen por parejas. El primer estudiante escribe en una hoja un mensaje y trata de comunicárselo a su compañero mediante mímica. Éste escribe en otro papel lo que ha interpretado y finalmente discuten las diferencias entre la interpretación final y el mensaje original.

Sugerencias: Las frases pueden ser variadísimas. Os proponemos algunos ejemplos:

- Estoy enfermo y no puedo salir. ¿Te importaría ir a la tienda a comprarme tres kilos de naranjas, dos botellas de leche y papel higiénico?
- Tienes los pantalones rotos por detrás y todo el mundo se está riendo de ti.
- Te invito al cine a ver una película romántica. Pasaré a buscarte por tu casa a las siete.
- ¿Puedes dejarme tu bicicleta? La mía tiene estropeados los frenos.

LA PALABRA OCULTA

Destrezas: Expresión oral, expresión escrita, comprensión lectora, comprensión auditiva.

Objetivo comunicativo: Practicar la comunicación no verbal; interpretar gestos.

Objetivo gramatical: Vocabulario.

Nivel: Intermedio y avanzado.

Material: Ninguno.

Desarrollo: Se forman equipos de cuatro jugadores y cada grupo piensa en una palabra de cuatro letras. Se escribe en un papel sin que los demás la vean y después cada jugador de un equipo ha de hacer la mímica de una palabra que empiece por la primera letra del término oculto. Después el segundo jugador hace lo mismo con la segunda letra y así hasta el cuarto. Los demás equipos han de averiguar la palabra en la que habían pensado.

Ej.: Palabra oculta **MESA**

> 1° jugador piensa en *morir* y hace la mímica correspondiente
>
> 2° jugador piensa en *escalera* y la representa por mímica
>
> 3° jugador piensa en *sal* e intenta representarla sin palabras
>
> 4° jugador piensa en *armario* y hace gestos para que los demás lo averigüen

Sugerencias: En niveles avanzados pueden hacerse grupos de más de cuatro y pensar en palabras más difíciles.

LA PALABRA PROHIBIDA

Destrezas: Expresión oral, expresión escrita, comprensión lectora, comprensión auditiva.

Objetivo comunicativo: Dar explicaciones; definir palabras; describir.

Objetivo gramatical: Verbos *ser* y *estar*; pronombres relativos; preposiciones.

Nivel: Intermedio y avanzado.

Material: Fichas con palabras.

Desarrollo: El profesor prepara fichas con palabras. Cada alumno escoge una ficha y debe intentar que algún compañero de la clase adivine la palabra de su ficha a partir de sus explicaciones, que nunca deben incluir esa palabra ni sus derivados.

Puede haber fichas con sustantivos (*pimiento, batidora, pestañas, ordenador...*) adverbios o expresiones de carácter adverbial (*lentamente, bien, mal, rápido...*), adjetivos (*optimista, agresivo, bruto, amable...*), verbos (*cortar, contestar, coger...*). No se permite hacer mímica. Gana el que logra que adivinen su palabra lo más rápidamente posible.

· VARIANTE:

PALABRAS VEDADAS: En grupos pequeños, los estudiantes deben escribir una definición de más de diez palabras sin utilizar ES, EN, DE, QUE. Pueden proponerse términos como: *mina, gato, avión, pañuelo, zapato, bebé, corbata, profesor, España, dinero...*

CUMPLEAÑOS FELIZ

Destrezas: Expresión oral, expresión escrita.

Objetivo comunicativo: Practicar la comunicación no verbal.

Objetivo gramatical: Ampliar vocabulario.

Nivel: Inicial, intermedio y avanzado.

Material: Ninguno.

Desarrollo: Un alumno se sitúa delante de la clase y dice: *La semana pasada fue mi cumpleaños y me regalaron...* No debe decir la palabra sino hacer mímica –bien hecha– para que los demás lo averigüen.

Cuando la solución sea correcta se escribe en la pizarra. Uno tras otro van saliendo todos a expresar con gestos cuál fue su regalo. Si el número de alumnos es pequeño se repite otra ronda.

EL SOBRE DE LA SUERTE

Destrezas: Expresión oral, comprensión auditiva.

Objetivo comunicativo: Describir objetos.

Objetivo gramatical: Verbos *ser* y *estar*; vocabulario.

Nivel: Intermedio y avanzado.

Material: Ninguno.

Desarrollo: El primer alumno empieza diciendo *Si yo encontrara un sobre con cien mil pesetas me compraría...* y empieza a describirlo. Los demás tienen que intentar adivinar de qué se trata.

VARIANTE:

¿QUÉ HAY EN LA BOLSA?: Se divide a los alumnos en dos equipos. Un estudiante coge una bolsa llena de cosas que le pasa el profesor. Mete la mano y escoge un objeto, sin sacarlo de la bolsa y sin verlo. Después elige a una persona de su equipo para que intente adivinar de qué objeto se trata a través de la descripción que él haga. Gana el equipo que más cosas acierte en medio minuto.

¡VAYA PALABRITA!

Destrezas: Expresión oral, expresión escrita, comprensión lectora, comprensión auditiva.

Objetivo comunicativo: Describir objetos, definir conceptos.

Objetivo gramatical: Vocabulario; verbos *ser* y *estar;* presente de Indicativo.

Nivel: Intermedio y avanzado.

Material: Ninguno.

Desarrollo: El profesor elige en el diccionario una palabra no muy frecuente, pero si puede ser útil, mejor. La escribe en la pizarra y los alumnos, por parejas o en pequeños grupos, deben inventarse una definición. Los criterios para evaluar los resultados pueden ser desde premiar la más verosímil o la más divertida hasta la más técnica.

Sugerencias: En vez del profesor puede ser cada grupo el que proponga a los demás una palabra. Os sugerimos algunos ejemplos que se pueden utilizar:

contubernio, guirigay, cachiporra, gorgorito, tunante, vocinglero, mugriento, pulular, rocambolesco, tarambana...

VARIANTE:
ANIMALES DIVERTIDOS: El profesor lleva a clase, como muestra, dos o tres textos breves en los que se describen animales (aspecto físico, costumbres...). Después de leerlos en clase, escribe en la pizarra nombres de animales no muy conocidos:

cacatúa	*alacrán*	*escorpión*
musaraña	*marmota*	*lirón*
urraca	*polilla*	*termita*
víbora	*cotorra*	*...*

Los alumnos, en grupos de cuatro o cinco, deben inventar descripciones de estos animales, que resultarán fantásticos. Ganará el grupo que acierte o que sea más original. Al final el profesor repartirá la definición real. Evidentemente, para esta actividad el diccionario está prohibido y el profesor actuará como ayudante para resolver problemas de vocabulario.

DICCIONARIO DE BOLSILLO

Destrezas: Expresión oral, expresión escrita, comprensión lectora, comprensión auditiva.

Objetivo comunicativo: Definir conceptos.

Objetivo gramatical: Verbos *ser* y *estar*, presente de Indicativo; estructuras finales con *para que* + Subjuntivo o *para* + Infinitivo.

Nivel: Intermedio y avanzado.

Material: Fotocopia del texto de Gomaespuma.

Desarrollo: Se reparte una fotocopia con una serie de definiciones y los alumnos, en grupos o por parejas, deben intentar adivinar la palabra que corresponde a cada definición. Después ellos mismos deberán definir alguna imitando el estilo nada "académico" del modelo elegido. Os proponemos algunos ejemplos tomados del libro de Gomaespuma titulado *Familia no hay más que una* (Colección El papagayo, Madrid, 1990):

Se trata de un invento (...) que sube y baja por el hueco de la escalera. Sirve para que el vecino del quinto se deje siempre la puerta abierta y toda la familia tenga que subir andando. Resulta también muy útil para encontrarse con algún inquilino de la vivienda, saludarle y subir los pisos mirando al techo y canturreando una canción sin saber qué decirse. (p. 173)

(El ascensor)

Son unos recipientes de pequeñas dimensiones, generalmente de cerámica o plata, que viven por decenas sobre la mesita baja de la sala de estar. Se colocan ahí para cuando vengan los nietos jueguen con ellos, doblando los de plata o dejando caer al suelo los de cerámica. (p.177)

(Los ceniceritos)

Suelen ser unas fundas de lana o algodón que los miembros de la familia se colocan en los pies. Aunque su vida normal se desarrolla en parejas, habitualmente se encuentran en estado "descabalado". La metamorfosis del... se produce tras ser introducido en la lavadora. Siguiendo un efecto contrario al bíblico de la multiplicación de los panes y los peces, cada vez que se introduce una pareja de... en la lavadora sólo se recupera uno, sin que se haya llegado a averiguar adónde van a parar los desaparecidos. (p. 180)

(Los calcetines)

Es un alimento hecho con harina de trigo, sal y agua. Los pequeños se lo llevan al colegio en forma de bocadillo, que siempre se come el listo del pupitre de detrás. Para el mediano constituye un trabajo y un ingreso extra. Al volver al mediodía de clase siempre recibe la misma bienvenida:
– ¿Ya estás aquí?, pues anda, baja por el... (p. 184)

(El pan)

Suelen ser unas manchas de agua que salen en el techo del cuarto de baño dos días después de haber vuelto a pintar la casa. Vienen a durar varios meses, ya que la vecina dice que la culpa es de la comunidad, la comunidad que es el seguro el que debe pagar y el seguro que los tiene que pagar la vecina. La vecina habla con su seguro y éste con el de la comunidad, y al final te dan cinco mil pesetas para que lo arregles y, como con eso no te llega ni para la pintura, ni lo arreglas ni nada. (p. 185)

(Las goteras)

VARIANTE:

¡A ELEGIR!:   El profesor escoge un grupo de palabras y prepara tres definiciones para cada una pero sólo una de ellas es la verdadera, las otras dos son inventadas. Los alumnos divididos en equipos (de tres o cuatro jugadores) deben adivinar cuál es la definición correcta. Ganan puntos por definición acertada y los pierden si se equivocan. Ejs.:

- *Bizcocho:*
  1 Masa compuesta de harina, huevos y azúcar que se cuece en el horno.
  2 Término despectivo con que se denomina a los bizcos.
  3 Muchacho, chico, niño.

- *Tener un nudo en el estómago:*
  1 Tragarse una cuerda.
  2 Sentir pena.
  3 Tener miedo.

- *Cepillo:*
  1 Diminutivo de cepo.
  2 Instrumento de madera compuesto de cerdas que sirve para quitar el polvo.
  3 Animal que vive en los árboles.

- *Limón:*
  1 Lima muy grande.
  2 Insulto dedicado a las personas de carácter agrio.
  3 Fruto de color amarillo, corteza lisa y sabor ácido.

- **Colilla:**
  1. Resto del cigarro que se tira.
  2. Cola pequeña.
  3. Cola que se forma delante de la taquilla.

- **Cajón:**
  1. Nombre dado a los que tienen mucho miedo.
  2. Caja enorme.
  3. Receptáculo que se mete en ciertos huecos de mesas, armarios, etc.

¿QUÉ PROFESIÓN ES?

Destrezas: Expresión oral, expresión escrita, comprensión lectora, comprensión auditiva.

Objetivo comunicativo: Definir términos; describir.

Objetivo gramatical: Vocabulario del campo semántico *profesiones.*

Nivel: Intermedio y avanzado.

Material: Un texto con la descripción de algunas profesiones.

Desarrollo: El profesor lee la descripción de varias profesiones y los alumnos deberán adivinar de qué profesión se trata. Después tratarán de imitarlo haciendo textos enigmáticos parecidos a los del profesor en parejas o pequeños grupos. Gana el equipo que consiga la descripción más divertida y que adivine más profesiones.

Se pueden preparar textos como éstos:

Es un señor vestido con un traje muy bonito y espectacular. Está bien entrenado físicamente y su trabajo consiste en algo así como bailar con un trapo grande de color rojo o rosa y un palo. Trabaja en un sitio redondo y con animales. *Un torero.*

Es un señor que se viste de manera curiosa, generalmente con pantalones cortos. Corre mucho de un lado a otro como si le persiguiera algo. Gesticula mucho y trabaja con otros señores que también llevan pantalones cortos y camisetas de colores. Antes iba de negro. También utiliza un silbato y unas tarjetas de colores. A la gente no le gusta mucho su trabajo. *Un árbitro de fútbol.*

Habla mucho
Escribe mucho
Sabe "mucho"
Habla muy bien español
Se ríe bastante
Utiliza, a veces, un rotulador rojo
El profesor.